DYLANNA PRESS

HOCKEY WORD SEARCH

LARGE PRINT

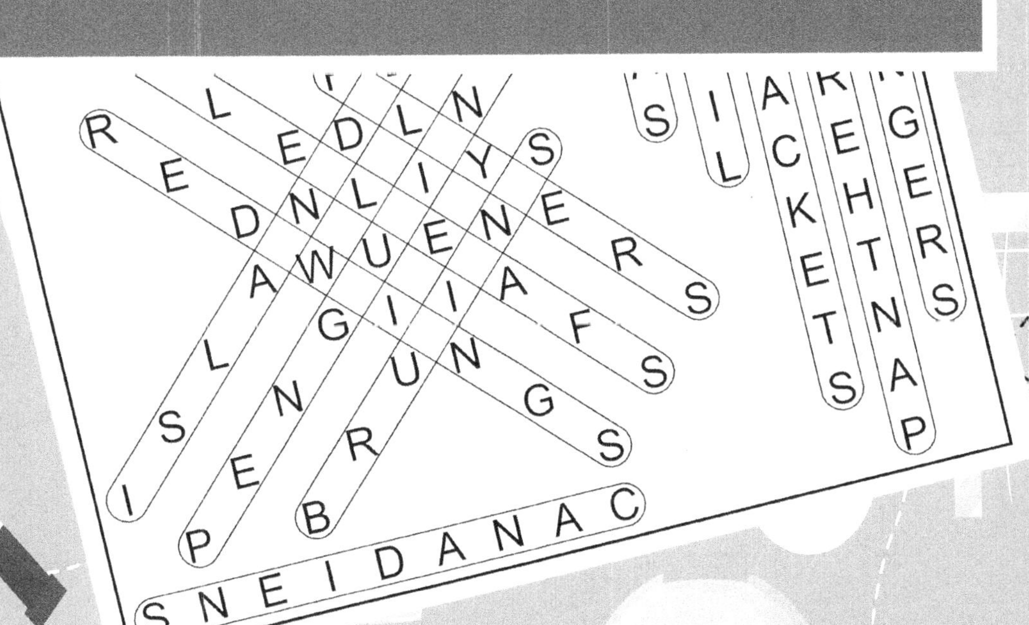

Hockey Word Search Puzzles

This hockey-themed word search puzzle book will provides hours of fun and entertainment. Fans of the game will enjoy finding their favorite teams and players!

Solving the Puzzles

Words are hidden in the puzzle grids in straight lines forward, backward, up, down, or on the diag-nol. Some words may overlap. Circle each word in the grid as you find it and cross it off the list.

This book contains more than 50 themed puzzles and answers to all puzzles are printed in the back of the book.

Have fun!

Accolades

U	B	K	I	N	G	C	L	A	N	C	Y	O	L	E
E	E	R	O	E	I	L	L	I	W	T	D	K	I	K
H	K	H	I	L	J	A	C	K	A	D	A	M	S	L
S	C	I	A	T	Y	H	P	O	R	T	L	K	Z	E
T	X	O	L	L	J	B	F	S	Y	B	Y	M	M	S
N	M	Z	A	B	L	Y	V	A	F	N	E	A	A	N
E	Z	C	U	C	Y	S	S	R	B	U	L	S	A	U
D	Z	O	N	H	H	D	T	R	Q	X	N	T	G	F
I	C	L	G	B	N	O	E	A	W	F	A	E	M	Q
S	L	J	X	I	Z	I	F	J	R	X	T	R	O	C
E	E	L	L	D	S	I	A	Y	J	R	S	T	F	S
R	Y	D	P	S	R	O	O	X	E	H	M	O	Y	S
P	E	U	E	T	M	R	Q	T	E	A	Z	N	E	K
T	C	M	V	Y	H	S	J	T	K	K	R	K	A	Q
I	A	E	I	K	O	O	R	L	L	A	S	N	R	D

ALL ROOKIE
ALL STAR
COACH OF YEAR
CUP
GM OF YEAR
JACK ADAMS
KING CLANCY
MASTERTON
MESSIER
PRESIDENTS
SELKE
STANLEY
TED LINDSAY
TROPHY
WILLIE O'REE

Avalanche

Y	A	E	T	D	W	I	L	S	O	N	B	C	S	G
F	N	V	H	H	T	R	A	K	A	M	U	S	R	O
M	A	U	A	A	M	R	E	M	S	S	R	E	G	K
Y	P	C	V	L	Z	X	N	A	N	K	A	V	R	S
J	I	C	O	D	A	O	E	I	A	A	K	A	U	E
O	Y	D	A	L	S	N	K	E	E	D	O	R	B	D
B	V	R	R	N	O	H	C	A	N	R	V	G	A	N
N	I	F	H	F	S	R	Z	H	D	I	S	L	U	A
G	B	O	R	U	H	G	A	S	E	Q	K	R	E	L
I	J	K	H	L	C	Y	A	D	F	F	Y	A	R	P
N	L	C	N	R	F	M	P	J	O	N	J	W	P	B
K	I	R	C	Y	F	N	O	N	N	I	K	C	A	M
N	Q	F	Z	F	I	V	L	F	G	D	F	G	L	F
Z	U	O	C	N	A	R	F	W	V	Z	R	O	Z	R
K	T	T	O	R	A	N	T	A	N	E	N	N	W	I

AVALANCHE
BURAKOVSKY
COLORADO
FRANCOUZ
GIRAD
GRAVES
GRUBAUER
JOHNSON
KADRI
LANDESKOG
MACKINNON
MAKAR
NICHUSHKIN
RANTANEN
WILSON

Blackhawks

H	C	K	W	G	S	I	K	O	O	R	B	A	E	S
A	E	L	Y	N	U	A	V	K	E	I	T	H	U	D
G	T	R	B	P	B	S	A	Z	E	Q	O	P	R	U
D	U	M	L	X	D	V	T	D	B	G	H	O	X	N
T	J	T	A	M	E	O	Z	A	A	P	F	Q	T	W
S	E	K	C	L	J	T	K	C	F	W	Q	V	Q	V
R	E	E	K	L	Z	G	I	U	A	S	C	Q	B	H
E	T	H	H	E	G	H	K	R	B	J	S	G	C	F
T	H	A	A	H	C	J	C	P	O	A	T	O	R	U
N	Q	K	W	N	E	N	A	K	O	W	L	B	N	M
E	O	X	K	E	Y	D	N	C	Y	U	R	I	D	S
P	O	I	S	R	K	W	V	Y	R	G	W	J	K	W
R	N	Y	L	A	N	D	E	R	U	Z	A	M	A	E
A	T	S	I	V	Q	O	B	B	U	L	H	D	O	O
C	L	Z	A	K	H	N	Q	M	Z	L	S	G	C	T

BLACKHAWKS
BOQVIST
CARPENTER
CHICAGO
CRAWFORD
GUSTAFSSON
KANE
KEITH
KUBALIK
LEHNER
NYLANDER
SAAD
SEABROOK
SHAW
TOEWS

Blue Jackets

L	O	E	N	Y	Q	U	I	S	T	U	K	W	O	Z
R	Y	C	V	F	X	P	D	K	A	Q	U	O	E	V
Z	G	A	V	R	I	K	O	V	Z	O	L	B	E	I
S	A	H	R	A	D	C	I	F	G	A	R	S	G	K
U	N	T	T	M	C	U	I	G	S	E	I	J	S	S
B	K	A	K	V	H	W	B	I	G	O	H	O	A	N
M	I	E	S	I	H	R	P	I	B	L	M	N	V	E
U	W	A	A	H	N	R	F	U	N	O	J	E	A	R
L	E	G	I	W	O	S	D	J	M	S	Z	S	R	E
O	N	D	C	K	W	Y	O	F	M	Z	K	H	D	W
C	N	N	C	F	M	U	M	N	X	U	T	Y	I	Z
K	B	S	T	E	K	C	A	J	E	U	L	B	Y	O
A	E	Z	Z	R	F	T	P	J	O	B	N	G	R	Z
F	R	U	L	M	O	R	T	S	M	E	B	P	I	G
Y	G	K	F	D	W	R	L	G	H	C	H	I	X	U

ATKINSON
BEMSTROM
BLUE JACKETS
COLUMBUS
DUBINSKY
DUBOIS
GAVRIKOV
GERBE
JONES
KORPISALO
NASH
NYQUIST
SAVARD
WENNBERG
WERENSKI

Blues

O	K	L	B	Y	L	L	I	E	R	O	R	R	N	N
P	U	Z	I	V	R	R	N	P	B	A	K	O	N	C
E	P	J	N	S	I	S	Y	G	C	B	K	U	D	M
R	B	N	N	D	C	E	A	Z	F	N	D	X	B	W
R	S	N	I	K	W	H	T	N	E	Z	Y	Y	K	O
O	K	E	N	V	V	W	W	S	F	E	L	W	Z	L
N	L	H	G	C	W	W	A	A	L	O	N	Q	T	E
F	U	C	T	O	U	R	K	O	R	Q	R	S	Y	G
X	A	S	O	C	A	G	F	G	H	T	L	D	L	N
P	F	D	N	T	J	Z	Z	F	T	D	Z	M	R	A
Z	B	O	U	W	M	E	E	S	T	E	R	O	N	R
M	D	S	T	L	O	U	I	S	D	U	S	X	W	T
T	S	I	V	Q	D	N	U	S	L	H	Q	V	W	E
O	E	S	A	Y	B	Q	B	L	U	E	S	D	L	I
J	W	R	J	D	D	R	A	M	F	G	K	M	Z	P

BINNINGTON
BLUES
BOUWMEESTER
DUNN
FAULK
FOLEY
OREILLY
PERRON
PIETRANGELO
SANFORD
SCHENN
SCHWARTZ
ST LOUIS
SUNDQVIST
TARASENKO

Bruins

A	X	J	B	O	S	T	O	N	K	Z	P	P	Y	W
N	Z	X	Y	J	M	W	T	K	S	J	G	L	Q	R
S	E	A	S	T	R	A	A	W	A	H	A	E	O	Y
G	X	Z	K	D	A	L	R	C	B	R	R	I	L	K
M	Y	V	R	A	A	H	V	C	U	R	M	F	R	Q
I	Q	E	U	H	H	F	T	K	H	N	U	Q	A	J
N	K	V	G	C	S	W	Y	R	Q	A	O	I	C	U
O	K	A	N	R	T	S	A	P	R	E	N	F	N	C
R	X	E	M	E	Z	F	R	A	P	L	M	D	Q	S
E	V	L	C	C	L	K	D	E	B	R	U	S	K	K
G	U	Y	A	H	I	C	J	E	R	K	C	H	M	J
R	P	O	V	A	B	O	C	C	M	R	A	S	K	M
E	X	C	O	R	A	S	N	D	F	H	P	V	O	P
B	Z	O	Y	A	L	L	B	Q	O	K	X	Z	P	L
Z	B	S	K	U	X	P	W	C	G	W	G	Z	M	M

BERGERON
BOSTON
BRUINS
CARLO
CHARA
COYLE
DEBRUSK
HALAK
KREJCI
KRUG
KURALY
MARCHAND
MCAVOY
PASTRNAK
RASK

Canadiens

P	R	I	C	E	Q	E	C	C	I	J	D	I	U	B
O	U	G	A	L	L	A	G	H	E	R	G	H	V	X
Q	C	B	Y	R	T	E	P	B	R	F	W	X	E	X
K	U	H	C	L	A	V	O	K	F	M	I	T	P	T
C	F	U	N	H	Z	V	I	K	N	S	V	L	Q	V
A	S	O	A	L	M	K	Z	B	T	V	V	U	U	Z
N	X	C	B	V	U	V	L	V	O	E	T	A	E	X
A	M	H	A	Z	J	A	Y	H	R	R	W	N	W	G
D	T	H	U	N	E	L	G	I	A	E	X	A	E	X
I	V	S	H	R	D	P	D	M	I	H	S	D	B	Q
E	X	Q	T	O	S	E	J	O	H	T	L	J	E	F
N	N	N	L	F	Y	D	L	D	C	R	A	D	R	U
S	O	J	T	G	N	U	Y	L	S	W	W	T	Q	Y
M	P	V	G	H	Y	T	T	R	A	O	T	B	A	G
A	I	M	R	A	I	B	Y	R	O	N	N	N	H	R

ARMIA
BYRON
CANADIENS
CHIAROT
DANAULT
DOMI
GALLAGHER
KOVALCHUK
MONTREAL
PETRY
PRICE
SCANDELLA
SUZUKI
TATAR
WEBER

Canucks

B	R	E	V	U	O	C	N	A	V	T	F	V	N	O
D	P	N	G	A	U	D	E	T	T	E	I	E	E	B
C	J	E	E	T	C	O	U	K	C	O	M	N	N	N
V	A	P	R	A	X	K	W	C	K	J	F	A	A	D
F	D	Q	I	V	U	Y	B	M	A	Y	M	T	T	A
B	W	A	K	R	J	M	E	H	M	N	N	R	R	Z
Y	D	M	S	O	A	D	A	S	C	O	U	G	I	N
P	I	M	S	H	X	O	E	R	S	E	R	C	V	I
P	F	I	O	G	Y	H	I	S	K	G	G	G	K	V
H	M	L	N	C	G	S	R	Y	C	S	Q	O	W	S
F	J	L	R	U	V	E	P	V	B	O	T	Q	H	F
Y	G	E	H	Z	T	X	N	L	Q	Q	Z	R	A	G
N	H	R	Q	T	N	O	S	R	A	E	P	K	O	X
S	J	U	E	R	D	I	D	E	D	L	E	R	U	M
P	U	P	I	F	P	S	T	E	C	H	E	R	J	O

CANUCKS
DEMKO
EDLER
ERIKSSON
GAUDETTE
HORVAT
HUGHES
MARKSTROM
MILLER
PEARSON
PETTERSSON
STECHER
TANEV
VANCOUVER
VIRTANEN

Capitals

Q	M	W	C	A	R	L	S	O	N	H	T	K	A	C
G	P	A	N	I	K	W	Y	K	N	O	H	M	N	E
W	W	T	L	E	L	L	E	R	S	Q	F	O	A	T
I	A	A	R	R	K	L	U	L	N	Y	Y	R	R	E
L	S	K	Q	P	T	U	A	S	X	J	G	T	V	I
S	H	B	P	Q	I	T	Z	K	Z	Z	L	S	V	H
O	I	K	O	Z	I	H	Z	N	J	W	J	K	F	S
N	N	I	Y	P	Y	A	W	J	E	T	E	C	P	O
O	G	H	A	A	E	X	Z	N	W	T	U	A	X	B
R	T	C	P	Z	B	P	E	F	K	H	S	B	D	D
L	O	B	W	G	A	S	J	V	C	E	A	O	K	K
O	N	C	L	W	N	D	C	L	L	K	M	F	V	A
V	X	L	M	E	L	G	W	P	C	I	A	P	G	B
K	N	C	J	I	N	I	K	H	C	E	V	O	N	J
K	A	Y	B	T	L	O	H	T	P	L	A	M	U	Y

BACKSTROM
CAPITALS
CARLSON
ELLER
HOLTBY
JENSEN
KEMPNY
KUZNETSOV
ORLOV
OSHIE
OVECHKIN
PANIK
VRANA
WASHINGTON
WILSON

Coyotes

B	Y	W	V	M	F	H	A	L	L	O	S	J	C	J
W	K	X	P	Z	J	L	M	R	C	N	R	J	H	N
I	E	A	O	R	F	F	L	Q	O	O	E	A	Y	Z
D	L	T	K	T	D	R	D	S	W	W	M	I	C	T
D	L	N	F	S	F	D	S	V	H	F	E	O	H	L
G	E	A	O	F	N	R	X	K	O	O	D	W	R	A
B	R	A	C	A	A	C	H	W	U	R	S	R	U	M
L	T	R	L	M	W	M	N	N	N	E	A	S	N	H
H	W	R	L	G	C	J	C	B	Z	V	M	K	A	C
E	A	A	M	B	J	F	K	E	R	Q	J	P	Q	S
G	J	K	D	S	O	D	E	R	B	E	R	G	E	U
H	T	S	P	Y	I	X	B	P	N	R	Y	O	Y	R
D	W	G	T	T	E	A	N	O	Z	I	R	A	Y	Q
F	N	O	S	R	A	L	N	A	M	K	E	G	G	U
N	U	S	V	U	X	C	O	Y	O	T	E	S	X	M

ARIZONA
CHYCHRUN
COYOTES
DEMERS
DVORAK
EKMAN LARSON
GARLAND
HALL
HJALMARSSON
HOSSA
KELLER
KUEMPER
RAANTA
SCHMALTZ
SODERBERG

Devils

C	Z	A	I	U	O	L	S	P	Z	L	A	R	L	V
A	V	T	R	J	W	P	J	E	L	A	B	Q	R	N
V	S	T	E	T	E	O	Z	M	V	D	J	E	G	L
H	L	A	I	P	J	O	D	E	O	E	I	A	E	X
V	I	R	M	W	F	S	N	O	G	H	R	L	C	V
A	V	B	L	N	J	E	W	G	C	U	J	S	W	K
T	E	S	A	P	E	G	D	S	I	A	S	F	O	C
A	D	U	P	R	A	D	I	V	E	F	V	E	T	N
N	B	B	G	Y	C	H	S	Y	K	R	U	K	V	E
E	L	B	P	N	A	H	U	G	H	E	S	V	E	V
N	V	A	Z	Y	E	S	R	E	J	W	E	N	I	C
A	P	N	C	L	P	N	V	Q	D	E	G	N	S	W
K	B	L	A	C	K	W	O	O	D	L	U	O	Q	A
Y	I	I	W	N	R	K	J	T	E	E	R	T	S	M
P	U	V	O	F	J	C	G	P	Y	Y	X	A	M	V

BLACKWOOD
BRATT
DEVILS
GREENE
GUSEV
HISCHIER
HUGHES
NEW JERSEY
PALMIERI
SEVERSON
STREET
SUBBAN
VATANEN
WOOD
ZAJAC

Ducks

H	A	Q	G	C	T	E	A	J	V	D	U	C	K	S
Y	L	W	E	H	P	E	H	N	F	O	W	L	E	R
D	X	A	T	K	I	S	L	F	A	O	D	N	Y	P
Z	V	T	Z	M	S	H	J	A	A	H	O	H	S	Y
S	M	N	L	I	H	O	B	C	H	S	E	P	K	E
M	M	O	A	L	K	R	P	X	N	A	Y	I	S	C
S	L	S	F	L	X	E	M	A	I	S	S	A	M	A
S	O	B	G	E	E	L	R	A	O	D	K	L	I	C
V	H	I	L	R	R	B	Z	S	N	X	E	A	B	P
R	D	G	S	F	D	O	Y	T	M	S	P	G	I	Y
K	N	Y	H	U	L	F	U	X	Q	C	O	Z	E	Q
N	I	L	G	E	P	Z	E	K	V	F	S	N	D	O
F	L	R	E	M	R	A	K	E	L	L	I	F	F	S
O	B	T	G	R	E	B	R	E	V	F	L	I	S	H
X	S	T	G	R	E	L	S	E	K	D	O	G	J	D

ANAHEIM
DUCKS
FOWLER
GETZLAF
GIBSON
GUDBRANSON
KASE
KESLER
LINDHOLM
MANSON
MILLER
RAKELL
SHORE
SILFVERBERG
STEEL

Eastern Conference

Z	H	U	R	R	I	C	A	N	E	S	Z	C	G	Q
O	N	K	J	S	L	I	V	E	D	T	G	U	U	T
W	Z	S	E	N	A	T	O	R	S	H	N	I	N	Y
M	K	S	L	A	T	I	P	A	C	S	I	B	Z	W
E	A	K	K	W	Y	U	O	S	H	E	N	L	Y	K
Y	J	P	R	A	S	Q	R	T	L	R	T	U	J	R
F	R	Z	L	L	F	E	H	S	P	B	H	E	L	R
D	O	E	C	E	D	L	N	U	H	A	G	J	S	A
W	U	S	D	N	L	I	Y	S	Q	S	I	A	R	N
W	S	I	A	W	U	E	N	E	S	P	L	C	E	G
R	K	L	Q	G	I	I	A	V	R	E	A	K	H	E
L	S	T	N	Y	U	N	I	F	Z	S	D	E	T	R
I	G	E	E	R	O	E	G	Z	S	J	Q	T	N	S
K	P	U	B	C	J	R	U	S	R	V	I	S	A	O
S	N	E	I	D	A	N	A	C	O	E	Z	A	P	Y

BLUE JACKETS
BRUINS
CANADIENS
CAPITALS
DEVILS
FLYERS
HURRICANES
ISLANDERS
LIGHTNING
MAPLE LEAFS
PANTHERS
PENGUINS
RANGERS
RED WINGS
SABRES
SENATORS

Flames

P	P	I	H	A	M	O	N	I	C	Z	Z	M	L	X
H	G	I	O	R	D	A	N	O	I	J	Q	F	M	C
G	B	I	M	I	P	W	S	P	F	N	H	E	S	A
H	R	Z	E	E	G	D	M	H	A	A	N	K	L	L
C	O	B	K	I	H	X	E	H	S	A	A	X	I	G
W	D	L	U	G	F	T	A	V	P	D	N	Y	N	A
Q	I	Y	H	W	A	N	A	A	M	D	Q	S	D	R
K	E	H	C	X	O	U	I	L	F	S	E	H	H	Y
W	F	C	A	M	F	G	D	J	B	M	V	F	O	V
L	C	I	K	Q	N	L	Z	R	A	O	U	O	L	M
P	B	T	T	A	R	K	A	L	E	U	T	X	M	K
P	U	T	M	Y	T	X	F	R	D	A	Q	C	X	C
M	W	I	Z	A	R	I	N	A	Y	R	U	P	H	X
X	D	R	Q	Z	Q	Z	D	N	U	L	K	C	A	B
S	S	Q	N	O	Q	F	S	N	I	F	I	N	A	H

BACKLUND
BRODIE
CALGARY
FLAMES
GAUDREAU
GIORDANO
HAMONIC
HANIFIN
LINDHOLM
MANGIAPANE
MONAHAN
RITTICH
RYAN
TALBOT
TKACHUK

Flyers

G	M	R	X	L	I	S	R	E	Y	L	F	M	I	S
J	L	G	P	H	I	L	A	D	E	L	P	H	I	A
T	L	I	N	E	N	A	K	S	I	N	G	A	M	O
V	W	N	N	E	N	K	F	R	J	S	K	W	W	G
V	T	T	J	D	C	C	E	I	E	S	X	D	C	I
Z	R	G	S	I	B	I	E	Y	M	A	K	D	L	R
Z	A	T	R	A	R	L	A	A	P	V	N	S	Y	O
Z	H	T	A	U	K	H	O	H	R	D	T	Q	N	U
A	A	N	T	U	E	L	E	M	O	S	C	X	C	X
P	L	U	S	C	C	A	A	K	V	L	W	Y	E	J
M	O	K	X	J	A	F	X	V	O	R	O	M	N	H
C	J	U	U	N	R	G	O	C	R	Y	A	D	O	I
N	U	A	R	B	O	V	J	X	O	L	T	F	K	A
H	J	H	B	V	V	Z	Q	W	V	J	B	Y	F	Q
F	W	T	S	F	S	A	N	H	E	I	M	E	H	L

BRAUN
COUTURIER
FLYERS
GIROUX
HART
HAYES
KONECNY
LINDBLOM
NISKANEN
PATRICK
PHILADELPHIA
PROVOROV
RAFFL
SANHEIM
VORACEK

NHL

N	J	I	U	T	Y	P	O	W	E	R	P	L	A	Y
P	G	G	N	I	P	P	I	R	T	V	U	Q	S	N
J	N	P	N	H	X	N	H	L	E	A	H	P	L	R
C	I	E	L	E	M	D	U	D	M	V	U	F	A	T
F	H	R	J	M	U	S	O	D	C	C	X	M	P	R
F	S	I	J	M	L	T	I	F	Y	W	S	A	S	O
C	A	O	R	A	A	L	R	E	F	E	O	H	H	P
O	L	D	U	E	I	O	L	A	T	S	K	M	O	S
N	S	S	P	T	G	N	P	A	L	V	I	Z	T	B
N	E	E	V	U	A	C	K	F	O	Z	H	D	I	J
I	C	T	N	T	O	S	A	D	V	N	O	O	E	R
I	C	Y	S	E	E	R	E	F	E	R	Z	N	L	I
N	O	S	C	G	D	E	Z	Z	I	N	Y	F	E	B
R	L	P	E	N	A	L	T	Y	I	V	K	U	T	S
N	I	T	T	D	H	X	H	P	O	D	V	C	S	B

NET
NEUTRAL ZONE
NHL
OFFSIDE
PENALTY
PERIOD
POWER PLAY
REFEREE
SKATES
SLAPSHOT
SLASHING
SPORT
STANLEY CUP
TEAM
TRIPPING

Breakaway

J	Z	H	T	A	M	M	Q	O	O	G	G	L	R	R
V	C	F	P	C	C	B	I	S	C	U	I	T	Y	O
T	H	T	O	H	S	T	S	I	R	W	A	T	P	G
Z	E	F	S	T	O	D	G	P	O	T	L	C	R	N
X	R	J	B	X	B	A	R	N	D	A	Y	L	I	I
A	R	H	T	R	S	Y	Y	E	N	F	Q	E	H	L
D	Y	M	B	N	E	Y	U	E	F	L	Z	Y	C	C
S	P	T	S	A	Y	A	P	X	Z	R	Y	H	H	Y
O	I	B	Q	I	R	D	K	L	C	T	G	Q	C	C
U	C	P	H	I	E	D	P	A	U	J	J	N	E	P
Y	K	U	F	Y	B	N	O	A	W	B	R	E	L	E
G	E	U	A	C	B	O	E	W	T	A	O	W	L	K
R	R	L	C	R	I	B	K	U	N	K	Y	O	Y	E
B	E	T	S	I	I	B	E	N	D	E	R	H	C	D
D	D	L	P	I	H	C	A	W	Z	P	U	B	V	X

BAR DOWN
BARN
BEAUTY
BENDER
BISCUIT
BREAK AWAY
CELLY
CHERRY PICKER
CHIP
CHIRP
CYCLING
DEKE
DELAYED PENALTY
DOTS
WRIST SHOT

Passing

G	F	M	I	E	T	I	R	H	Q	I	P	D	B	M
R	L	R	N	U	E	H	T	I	C	H	Q	G	L	I
I	O	U	M	S	H	A	N	D	P	A	S	S	W	S
T	W	Q	A	B	O	X	E	F	S	K	F	S	S	C
T	J	H	I	D	U	M	P	E	H	H	D	S	K	O
T	C	T	U	D	Y	P	W	Y	H	W	B	G	R	N
K	C	I	T	S	Y	R	E	C	O	R	G	E	A	D
M	R	L	S	D	T	I	H	E	L	N	A	T	M	U
K	E	U	M	K	J	Y	C	A	H	J	R	N	H	C
V	D	M	O	G	A	I	X	B	T	F	P	J	S	T
E	N	Q	I	F	U	T	B	E	D	T	F	S	A	E
O	I	M	N	I	X	M	E	T	V	E	R	F	H	S
F	R	F	O	R	E	C	H	E	C	K	Q	I	T	V
X	G	N	D	E	L	O	H	E	V	I	F	U	C	T
Q	K	E	E	S	Q	U	C	F	P	G	G	M	F	K

CHASE
DUMP
FIVE HOLE
FLOW
FORECHECK
GRINDER
GRITT
GROCERY STICK
GUTS
HAND PASS
HASH MARKS
HAT TRICK
ICE
MISCONDUCT
SKATE

Terminology

M	U	I	S	E	S	H	F	N	X	X	O	B	X	B
H	C	N	I	P	L	E	T	T	U	C	E	E	K	S
E	B	T	H	E	H	O	U	S	E	F	C	W	E	T
N	Q	V	O	P	L	U	S	S	T	N	A	N	G	T
T	E	H	F	L	A	H	E	M	E	G	G	R	N	I
O	Z	E	J	V	Y	S	O	R	O	M	T	L	A	M
S	T	A	N	G	O	M	E	D	J	E	R	K	H	G
O	L	D	O	H	O	F	P	L	A	E	X	Q	C	J
F	I	M	I	S	R	S	T	I	B	I	F	W	G	J
F	L	A	W	E	A	F	H	M	C	H	I	Z	N	I
S	D	N	T	K	J	L	U	X	Q	S	H	O	O	R
I	C	N	S	R	E	L	A	S	R	F	H	N	L	A
D	I	X	X	M	P	R	L	D	S	M	Q	E	W	J
E	H	S	U	R	N	A	M	D	D	O	B	E	E	A
S	R	A	O	G	P	C	Y	C	U	K	E	Z	Y	T

BOX
HEADMAN
HOSE
INTERFERENCE
LETTUCE
LONG CHANGE
MITTS
ODD MAN RUSH
OFFSIDES
OLYMPIC SHEET
PINCH
PLUMBER
PLUS
SALAD
THE HOUSE

Scoring

F	Z	T	J	M	I	N	U	S	L	S	A	E	V	J
S	P	L	U	S	M	I	N	U	S	T	B	G	W	E
Z	E	C	N	A	H	C	P	I	M	R	S	K	S	C
G	P	O	I	N	T	H	C	O	K	O	S	H	A	N
E	E	D	I	S	K	A	E	W	D	N	H	W	U	A
V	V	A	G	S	W	U	I	K	F	G	K	A	C	H
E	T	O	L	S	A	J	E	E	C	S	L	S	E	C
I	C	Y	A	Y	O	U	S	W	B	I	M	D	N	G
S	R	G	W	P	B	E	C	B	D	D	C	G	F	N
P	B	I	Y	A	E	Y	I	E	N	E	N	Q	V	I
A	W	W	M	H	V	O	S	S	R	I	R	B	Q	R
J	E	T	C	B	D	E	Z	C	R	P	L	M	B	O
M	Z	P	E	U	Z	S	O	O	J	L	A	E	O	C
V	O	N	P	I	K	I	C	F	M	Y	G	S	Q	S
T	I	T	N	Y	V	S	D	O	F	W	T	P	S	F

CHANCE
MINUS
PLUS/MINUS
POINT
SAUCE
SAUCER PASS
SCORING
SCORING CHANCE
SIEVE
SLOT
STRONG SIDE
TOP CHEESE
TWIG
WAVE OFF
WEAK SIDE

Playing the Game

Z	N	C	X	D	N	B	T	M	H	C	M	Y	I	H
S	I	K	O	B	K	A	O	T	F	Q	E	B	Q	G
C	R	L	O	U	S	R	G	P	V	S	G	X	B	O
M	R	S	E	S	Z	N	Z	O	R	N	N	S	H	T
V	T	O	H	F	I	O	L	E	I	G	C	R	H	U
X	F	W	W	A	T	C	J	W	K	N	E	H	I	H
T	Q	Q	I	D	H	W	T	L	R	I	N	B	G	C
X	T	H	W	W	U	H	I	Y	E	P	T	E	H	A
L	S	X	M	D	G	W	X	N	U	P	E	I	S	O
D	X	F	V	I	T	H	Z	O	G	I	R	L	T	C
N	E	A	R	B	L	P	W	I	R	R	U	A	I	D
R	X	R	O	U	G	H	I	N	G	T	U	O	C	S
S	S	A	L	G	J	R	B	D	I	L	V	G	K	Z
T	J	N	Y	C	Z	G	M	C	A	P	T	A	I	N
D	J	B	K	N	A	M	E	S	N	E	F	E	D	Q

BARN
CAPTAIN
CENTER
COACH
CROWD
DEFENSEMAN
GLASS
GOALIE
HIGH STICK
JERSEY
LEFT WING
REF
RIGHT WING
ROUGHING
TRIPPING

Win/Lose

N	W	Q	E	E	X	J	G	W	B	Q	W	Z	H	J
W	S	G	N	I	D	N	A	T	S	H	T	E	N	E
B	J	X	E	S	U	E	P	W	W	U	D	B	L	A
H	C	D	Z	T	R	P	B	H	I	T	Q	C	N	R
X	L	O	S	S	T	M	G	I	V	N	Y	I	X	J
J	F	S	W	C	K	C	U	P	N	C	Z	U	V	O
J	D	I	R	Q	P	R	X	K	M	E	A	C	T	V
N	Q	R	R	V	J	L	C	V	V	M	E	C	N	E
U	U	R	E	N	O	M	A	H	M	C	H	A	I	R
F	A	O	T	U	G	P	C	D	A	J	L	L	O	T
H	G	N	L	A	L	E	A	W	Y	R	M	D	P	I
U	Y	R	P	E	W	L	V	C	P	B	T	E	M	M
M	V	N	I	S	C	X	L	W	L	B	Y	R	S	E
D	I	R	T	Y	Z	O	N	E	O	P	K	N	B	J
E	F	M	P	L	W	S	L	Q	E	F	M	Q	G	K

CALDER
NORRIS
CYCLE
OVERTIME
DIRTY ZONE
POINT
HART
PUCK
LADY BYNG
STANDINGS
LOSS
VEZINA
NET
WIN

On the Ice

J	V	Y	C	C	U	C	G	T	B	W	U	S	S	D
E	U	T	C	R	C	R	E	R	C	N	T	M	J	S
N	F	E	A	X	O	K	O	L	L	E	X	P	U	T
R	C	K	G	V	C	S	G	C	L	I	U	S	M	X
S	D	C	S	U	G	Y	S	C	K	R	W	S	B	K
L	F	O	B	Z	T	X	I	B	R	I	K	O	O	E
O	I	R	D	U	E	H	M	M	A	Z	N	M	T	G
U	L	E	D	W	C	S	B	A	W	R	R	G	R	E
D	T	L	E	O	P	B	T	U	A	E	B	K	O	L
A	H	T	B	A	R	N	B	U	R	N	E	R	N	L
H	Y	T	H	O	C	K	E	Y	K	R	M	R	P	O
E	L	O	F	U	L	I	V	Z	F	Q	C	R	B	C
Y	D	B	C	D	N	I	T	T	I	P	S	U	L	N
T	J	D	V	P	R	E	P	P	A	L	C	H	Q	S
N	C	R	S	P	F	Z	C	Y	L	B	O	U	E	U

BARNBURNER
BEAUT
BOTTLE ROCKET
BUCKET
CHICLETS
CLAPPER
COLLEGE
CROSSBAR
FILTHY
HOCKEY
JUMBOTRON
LOUD
MOSS
ROCKING
SPITTIN

Arena

A	P	B	H	T	E	M	L	E	H	J	G	G	O	P
R	A	F	O	G	O	A	L	I	E	N	M	N	I	P
E	V	N	L	F	Z	V	X	E	I	R	P	U	E	W
N	X	K	D	W	J	E	Y	K	M	Q	W	T	I	D
A	C	X	I	O	U	A	O	K	A	S	N	V	S	Z
U	B	U	N	B	A	O	K	C	I	R	T	T	A	H
Y	S	L	G	P	H	X	M	H	F	C	J	S	H	Y
A	J	D	U	G	U	H	D	Q	K	F	I	S	Z	J
W	Q	R	D	E	O	C	H	E	C	K	I	N	G	F
A	V	A	C	E	L	D	R	H	B	Z	C	G	F	R
K	A	W	E	V	F	I	K	C	I	T	S	O	T	G
A	N	R	N	N	T	E	N	A	P	P	E	M	Z	U
E	F	O	T	N	E	T	N	E	J	C	E	A	R	G
R	L	F	E	Z	D	P	F	S	A	K	N	S	S	I
B	A	Z	R	S	G	E	J	F	E	S	J	O	E	D

ARENA
BLUE LINE
BREAKAWAY
CENTER
CHECKING
DEFENSE
FACE OFF
FORWARD

GOALIE
HAT TRICK
HELMET
HOLDING
HOOKING
NET
STICK

Hurricanes

V	E	B	C	V	W	H	D	Z	E	L	Z	J	V	A
A	A	E	S	L	A	V	I	N	A	Y	X	G	O	Q
L	C	W	D	L	M	R	U	A	X	A	H	N	K	J
V	L	D	C	M	M	M	T	Y	F	M	O	K	I	O
X	J	P	X	R	U	S	C	O	I	T	F	K	N	U
A	H	N	M	E	B	N	Y	G	L	T	E	D	H	M
N	U	F	K	I	E	R	D	I	I	Z	R	Z	C	D
I	R	Y	H	M	N	W	M	S	A	N	E	T	E	O
L	R	T	B	E	S	A	W	R	O	Y	N	V	V	A
O	I	P	S	R	H	W	M	B	W	N	V	G	S	O
R	C	T	E	R	A	V	A	I	N	E	N	C	D	U
A	A	O	P	M	G	U	E	L	E	G	E	O	F	N
C	N	H	B	A	F	B	F	M	O	O	I	H	U	R
U	E	A	V	T	R	E	N	I	D	R	A	G	Q	I
N	S	T	E	C	S	E	P	Y	V	X	H	S	K	A

AHO
CAROLINA
EDMUNDSON
FOEGELE
GARDINER
HAMILTON
HURRICANES
MCGINN
MRAZEK
PESCE
REIMER
SLAVIN
STAAL
SVECHNIKOV
TERAVAINEN

Islanders

A	J	S	C	N	J	H	V	A	R	L	A	M	O	V
J	W	G	D	L	E	E	I	L	A	Z	R	A	B	O
P	O	N	G	M	U	L	J	E	J	H	F	Y	X	Y
U	O	E	C	A	G	T	S	D	I	O	P	B	K	X
L	W	W	S	C	Z	Y	T	O	N	G	T	R	U	J
O	H	Y	W	L	X	L	R	E	N	B	E	D	H	K
C	R	O	E	Z	Q	N	M	K	R	I	I	E	C	G
K	F	R	L	E	D	D	Y	F	L	B	L	P	Y	X
L	K	K	J	M	S	K	S	L	Y	R	U	P	O	K
E	P	E	L	E	C	H	I	E	E	Q	W	C	B	S
E	G	Q	R	O	X	V	L	B	O	O	T	S	K	S
W	Z	S	Y	L	U	I	E	N	V	B	W	Z	X	I
D	E	K	H	A	A	B	S	V	Q	V	Y	T	S	E
C	N	K	E	B	G	R	I	B	T	I	N	Q	Z	R
B	O	B	K	C	S	R	E	D	N	A	L	S	I	G

BAILEY
BARZAL
BEAUVILLIER
BOYCHUK
CLUTTERBUCK
EBERLE
GREISS
ISLANDERS
LEDDY
LEE
NELSON
NEW YORK
PELECH
PULOCK
VARLAMOV

Jets

B	S	C	H	E	I	F	E	L	E	W	J	U	C	T
E	E	H	Y	O	L	J	W	B	T	C	Q	X	I	F
Z	C	W	E	K	U	L	I	K	O	V	D	O	S	Y
E	K	O	T	L	H	V	H	A	A	I	S	N	I	R
H	L	U	N	A	L	I	E	K	S	S	S	H	S	E
W	I	R	A	N	V	E	N	C	O	M	R	I	O	L
B	T	W	H	G	O	O	B	R	D	Z	E	V	W	E
H	T	I	S	S	I	R	B	U	J	N	L	Q	X	E
U	L	N	M	P	X	G	J	C	Y	Q	H	P	I	H
K	E	N	Q	R	Z	I	Q	Y	Y	C	E	H	B	W
I	G	I	N	U	O	Q	B	C	B	J	K	V	I	R
N	F	P	Y	M	I	Y	E	S	S	I	R	R	O	M
C	A	E	P	P	O	C	P	T	J	J	E	T	S	W
J	Y	G	X	F	N	Z	T	Y	B	W	Q	Y	K	C
E	N	I	A	L	E	S	I	M	Z	P	B	U	E	G

BROSSOIT
CONNOR
COPP
EHLERS
HELLEBUYCK
JETS
KULIKOV
LAINE
LITTLE
MORRISSEY
NIKU
PIONK
SCHEIFELE
WHEELER
WINNIPEG

Kings

K	I	N	G	S	I	N	N	F	M	G	R	K	I	Z
F	C	F	J	Y	B	G	L	F	D	A	C	U	D	E
A	M	L	A	G	N	R	M	O	T	A	P	K	C	N
T	K	S	I	X	H	C	O	I	Q	X	Z	E	G	I
F	E	D	Y	F	K	C	P	W	I	W	L	M	I	T
A	O	G	D	P	F	O	D	L	N	H	O	P	W	R
K	G	R	R	F	K	O	O	A	K	J	S	E	R	A
Q	U	X	B	I	I	F	R	H	T	D	A	Q	E	M
U	T	H	V	O	F	Z	Y	D	T	W	N	K	T	I
I	V	W	U	O	R	O	A	M	H	R	G	V	R	Z
C	U	N	T	N	R	T	G	M	F	T	E	J	A	H
K	L	Y	J	Z	U	H	V	S	V	G	L	Q	C	G
O	Y	T	H	G	U	O	D	F	V	U	E	Z	B	S
E	L	A	F	A	L	L	O	N	S	T	S	X	Q	M
Q	G	A	C	J	P	Y	S	E	T	T	O	Z	I	L

BROWN
CARTER
CLIFFORD
DOUGHTY
FORBORT
KEMPE
KINGS
KOPITAR
LAFALLO
LIZOTTE
LOS ANGELES
MARTINEZ
QUICK
ROY
TOFFOLI

Golden Knights

F	R	P	O	N	A	B	B	U	S	C	R	Y	M	N
M	Z	H	G	G	L	G	T	H	N	P	T	Y	S	O
H	O	L	D	E	N	D	T	E	K	T	B	G	R	S
M	W	F	H	J	I	C	N	L	E	Z	A	O	E	N
G	A	O	L	M	A	O	G	R	U	R	J	L	R	E
V	P	R	H	E	T	V	O	M	X	G	Y	D	Q	H
P	B	C	C	S	U	I	I	C	T	J	N	E	I	P
W	S	V	Z	H	C	R	H	N	N	S	T	N	N	E
A	Q	V	L	A	E	L	Y	A	P	M	S	K	T	T
B	X	M	P	D	L	S	X	B	F	A	A	N	F	S
Z	G	S	T	D	V	A	S	B	D	W	T	I	V	H
V	R	L	S	A	G	E	V	A	N	K	S	G	C	T
Q	N	O	S	S	L	R	A	K	U	W	L	H	U	I
P	X	B	Q	L	D	Q	W	J	F	L	K	T	A	M
D	T	H	E	O	D	O	R	E	D	D	T	S	T	S

FLEURY
GOLDEN KNIGHTS
HOLDEN
KARLSSON
MARCHESSAULT
MCNABB
PACIORETTY
SCHMIDT
SMITH
STASTNY
STEPHENSON
STONE
SUBBAN
THEODORE
VEGAS

Lightning

T	A	M	P	A	B	A	Y	H	U	Q	D	I	E	P
N	T	C	S	X	F	V	G	D	T	H	X	I	J	L
N	P	X	I	H	T	A	I	N	G	A	O	V	A	H
Y	R	A	R	R	N	I	A	H	N	V	M	K	T	T
J	P	M	Q	O	E	M	T	A	I	A	Z	Z	T	A
O	N	Q	D	U	D	L	T	L	N	S	S	P	U	O
H	O	C	Y	E	E	T	L	V	T	I	O	A	R	F
N	M	P	H	Z	R	T	L	I	H	L	K	L	J	Y
S	M	T	G	E	M	L	T	D	G	E	M	A	M	B
O	W	F	O	P	J	V	E	E	I	V	A	T	P	I
N	W	N	T	P	O	I	N	T	L	S	T	G	C	Y
G	I	G	I	G	L	X	N	P	J	K	S	N	K	M
C	E	R	N	A	K	R	T	Q	D	I	P	C	Q	X
K	L	N	R	O	H	L	L	I	K	Y	X	Z	B	W
R	B	D	Y	E	D	V	O	R	E	H	C	U	K	B

CERNAK
CIRELLI
HEDMAN
JOHNSON
KILLHORN
KUCHEROV
LIGHTNING
MCDONAGH
PALAT
PAQUETTE
POINT
RUTTA
STAMKOS
TAMPA BAY
VASILEVSKIY

Maple Leafs

N	I	Z	Z	U	M	P	V	F	D	O	L	N	M	S
R	S	J	S	D	C	Z	O	O	R	E	L	D	A	E
E	C	T	B	R	H	T	V	E	I	K	A	F	T	N
N	G	E	V	G	N	O	D	H	L	J	V	N	T	I
R	H	G	I	O	C	N	F	Y	T	O	G	X	H	C
A	K	O	R	T	A	H	S	M	H	O	N	C	E	N
M	G	O	L	L	J	P	B	A	E	C	E	Y	W	I
D	T	A	Y	L	X	Y	H	N	H	O	F	Z	S	R
E	S	N	U	Y	A	N	D	E	R	S	E	N	V	A
R	O	P	O	T	D	D	D	F	A	W	N	H	D	M
M	U	J	E	X	H	G	H	O	Z	F	E	A	N	J
O	Q	M	O	Z	Q	I	P	T	A	V	A	R	E	S
T	S	D	Z	B	Z	X	E	T	J	K	I	J	H	E
T	W	C	B	F	J	A	B	R	Z	K	C	O	X	M
S	F	A	E	L	E	L	P	A	M	E	K	R	S	I

ANDERSEN
DERMOTT
ENGVALL
GAUTHIER
HOLL
HYMAN
MAPLE LEAFS
MARINCIN
MARNER
MATTHEWS
MUZZIN
NYLANDER
SPEZZA
TAVARES
TORONTO

NHL Greats 1

R	E	S	P	O	S	I	T	O	O	F	G	J	L	T
H	B	U	E	G	S	D	F	D	R	Y	D	E	N	R
U	N	W	D	Y	T	P	Y	P	G	B	V	A	J	R
F	A	S	E	K	U	Y	S	T	A	D	Y	E	E	M
V	N	K	L	P	T	M	H	X	D	V	S	Y	U	H
L	R	B	V	C	X	C	Q	G	O	J	O	B	L	H
R	U	D	E	O	R	C	O	R	X	N	Y	P	J	I
V	D	I	C	F	I	O	O	F	R	I	C	J	X	C
D	Y	O	C	U	O	D	S	U	F	O	U	S	N	L
Z	O	N	H	T	E	R	O	B	H	E	D	I	D	A
X	K	N	I	F	A	C	S	V	Y	K	Y	C	A	R
M	W	E	O	J	P	J	Y	B	M	M	Y	N	P	K
S	C	D	R	B	A	B	Z	W	E	Z	N	A	C	E
C	T	R	E	H	C	A	N	O	C	R	K	R	M	S
I	O	Q	Y	O	T	O	Y	T	C	R	G	F	R	K

CLARKE
COFFEY
CONACHER
COURNOYER
CROSBY
DATSYUK
DELVECCHIO
DIONNE
DRYDEN
DURNAN
ESPOSITO
FEDOROV
FORSBERG
FRANCIS
FUHR

NHL Greats 2

G	A	R	T	N	E	R	I	F	W	M	Y	K	Q	R
O	D	V	R	O	J	L	Y	Y	T	C	A	N	N	V
N	C	K	D	P	O	K	E	F	G	B	W	Z	L	F
U	H	C	A	L	Z	N	X	Y	V	O	S	Y	F	H
P	L	O	L	T	A	J	C	P	A	T	D	D	V	G
V	K	A	E	K	H	H	R	U	E	E	O	E	E	A
V	H	R	T	I	O	S	A	G	J	M	J	N	N	I
L	G	E	X	Y	R	S	S	R	H	C	C	N	Q	N
C	L	D	B	P	T	X	G	T	V	A	B	E	U	E
Q	H	U	O	Q	O	L	D	O	U	E	S	K	P	Y
H	T	G	M	C	N	F	W	K	B	K	Y	E	T	R
U	I	C	N	O	I	R	F	F	O	E	G	R	K	A
L	E	F	S	D	E	W	O	H	K	E	L	L	Y	J
L	K	B	W	B	Z	B	H	O	L	H	R	G	K	K
F	S	J	K	S	H	J	T	H	G	R	G	A	J	O

GAINEY
GARTNER
GEOFFRION
GRETZKY
HALL
HARVEY
HASEK
HORTON
HOWE
HULL
JAGR
KANE
KEITH
KELLY
KENNEDY

NHL Greats 3

H	N	E	H	M	O	L	L	L	I	R	R	U	K	N
O	N	X	S	Y	L	A	R	Y	E	Q	J	L	R	X
O	L	U	O	L	E	F	K	P	H	M	M	G	U	T
I	T	G	R	N	E	O	L	H	K	Y	A	E	J	M
H	B	D	D	Y	T	N	W	A	M	R	I	I	O	B
C	G	T	N	D	C	T	J	T	C	M	H	R	R	W
I	I	K	I	L	H	A	X	M	E	H	T	B	G	E
L	I	X	L	Z	S	I	T	L	E	S	D	P	K	R
V	X	K	S	X	J	N	Q	U	D	S	B	D	U	V
O	P	E	E	Y	X	E	B	I	K	U	S	P	M	A
H	W	D	L	A	G	F	L	Z	T	O	U	I	M	R
A	O	T	K	U	M	A	C	L	N	N	I	S	E	U
M	L	A	L	A	F	L	E	U	R	K	E	O	N	R
S	B	Y	A	S	D	N	I	L	K	I	Y	P	P	X
H	A	T	I	K	I	M	F	F	L	G	F	M	E	B

KEON
KURRI
LACH
LAFLEUR
LAFONTAINE
LEETCH
LEMAIRE
LEMIEUX
LIDSTROM
LINDROS
LINDSAY
MACLNNIS
MAHOVLICH
MESSIER
MIKITA

NHL Greats 4

X	Z	W	W	M	Y	K	W	L	O	T	R	K	Y	P
R	W	E	R	S	O	M	X	Q	N	R	R	R	H	J
E	K	Z	L	C	U	O	T	V	E	A	L	E	Q	W
T	R	P	H	Z	T	N	R	Y	P	O	A	G	N	R
N	C	A	S	C	E	S	A	E	C	A	F	N	I	E
A	N	V	T	R	Q	M	P	N	E	T	J	O	E	R
L	G	R	A	E	R	T	B	O	P	E	E	R	U	M
P	G	P	V	E	L	F	V	Y	T	S	L	P	W	G
X	U	F	D	T	P	L	K	L	J	V	Z	Z	E	N
T	A	E	O	R	R	Q	E	I	B	H	I	J	N	L
S	I	M	N	I	K	H	C	E	V	O	W	N	D	X
N	A	P	E	R	R	E	A	U	L	T	S	O	Y	F
V	I	F	S	F	M	O	R	E	N	Z	C	M	K	R
C	T	U	G	S	G	T	Y	D	M	U	L	U	C	Y
I	N	Q	R	I	B	D	E	J	O	N	A	D	O	M

MODANO
MOORE
MORENZ
NIEDERMAYER
NIEUWENDYK
OATES
ORR
OVECHKIN

PARENT
PARK
PERREAULT
PLANTE
POTVIN
PRONGER
RATELLE

NHL Greats 5

O	E	S	E	N	N	A	L	E	S	W	X	I	G	O
S	R	L	A	M	S	O	C	I	K	A	S	X	R	V
Y	O	Y	O	W	Q	H	Z	W	Q	O	H	H	R	R
Z	H	N	F	N	C	L	A	Z	D	C	B	D	O	D
M	S	T	R	G	P	H	K	N	Y	K	A	N	B	R
O	T	S	J	X	Q	U	U	U	A	R	H	E	I	A
P	K	A	T	N	J	B	C	K	N	H	E	C	T	H
K	V	T	X	W	Q	Q	F	O	L	N	A	G	A	C
Y	E	S	U	Y	I	Z	L	U	O	Z	N	N	I	I
J	H	S	A	V	A	R	D	S	L	I	T	S	L	R
S	I	T	T	L	E	R	N	D	M	S	J	M	L	W
K	I	M	O	I	K	I	Y	L	Q	H	P	I	E	T
K	Z	Y	T	L	B	V	A	M	T	H	N	T	Z	X
V	U	J	V	O	E	S	V	X	T	A	J	H	Q	X
R	O	Y	R	I	C	T	D	I	M	H	C	S	X	V

RICHARD
ROBINSON
ROBITAILLE
ROY
SAKIC
SALMING
SAVARD
SAWCHUK
SCHMIDT
SELANNE
SHANAHAN
SHORE
SITTLER
SMITH
STASTNY

NHL Greats 6

B	B	L	A	V	W	H	F	A	X	Z	A	R	F	W
R	J	D	H	T	Y	Q	X	O	B	C	E	P	A	I
Q	B	E	T	Q	C	T	Q	R	R	E	E	Y	P	H
B	R	O	D	E	U	R	F	L	X	D	L	S	P	V
D	Q	M	B	C	Z	L	K	I	T	E	X	G	S	W
C	E	X	B	O	H	Q	Z	H	S	R	E	W	O	B
B	T	D	O	D	S	E	U	A	E	V	I	L	E	B
O	A	L	U	Z	E	S	L	Y	H	J	Q	K	K	S
X	G	F	R	F	A	W	Y	I	S	T	Y	Y	G	G
U	H	C	Q	B	R	O	D	A	O	E	H	C	A	E
X	T	L	U	B	F	R	V	I	L	S	R	U	W	E
Q	A	A	E	B	G	M	B	T	X	E	Y	B	K	W
Q	B	N	F	S	W	R	N	S	R	N	Q	A	J	H
G	Z	C	R	F	B	E	G	U	B	O	L	B	D	Y
G	F	Y	E	S	B	Z	B	I	C	B	L	C	A	X

ABEL
APPS
BATHGATE
BELIVEAU
BENTLEY
BLAKE
BOSSY
BOURQUE
BOWER
BRODA
BRODEUR
BUCYK
BURE
CHELIOS
CLANCY

Oilers

A	X	A	S	M	I	T	H	Z	Y	A	E	D	A	N
N	D	N	O	S	S	R	A	L	A	S	L	E	B	E
N	N	B	V	Q	T	U	H	G	Q	A	B	P	D	N
L	E	U	Z	S	U	M	D	C	B	B	O	A	R	I
N	Z	A	G	U	I	H	C	I	K	Q	D	J	A	K
U	K	B	L	E	H	M	H	D	M	A	G	H	I	S
R	L	T	I	R	N	C	R	R	A	S	U	Q	S	O
S	E	K	D	T	R	T	P	K	R	V	K	C	A	K
E	F	N	R	A	E	I	H	E	L	P	I	Z	I	H
D	B	F	A	M	U	X	L	O	S	T	R	D	T	W
P	O	O	G	U	D	I	J	N	P	A	G	E	L	Q
R	M	T	Y	J	O	W	H	F	E	K	G	E	E	Y
L	N	H	N	T	H	D	P	B	S	D	I	H	P	Q
W	P	E	D	M	O	N	T	O	N	A	U	N	R	N
H	S	O	T	O	M	A	M	A	Y	R	O	G	S	M

ARCHIBALD
BEAR
DRAISAITL
EDMONTON
KLEFBOM
KOSKINEN
LARSSON
MCDAVID
NEAL
NUGENT HOPKINS
NURSE
NYGARD
OILERS
SMITH
YAMAMOTO

Panthers

E	L	Y	O	B	B	R	A	G	E	E	W	Y	V	A
Q	T	V	M	K	M	A	T	H	E	S	O	N	O	E
Q	Y	S	I	G	T	U	I	T	W	I	Y	L	D	K
S	L	B	Q	N	H	G	W	B	R	Q	H	E	V	B
E	O	A	U	A	E	D	R	E	B	U	H	O	Y	L
M	S	T	R	A	L	M	A	N	V	H	N	S	K	A
X	C	I	F	X	K	B	K	O	Y	O	J	T	S	D
U	O	R	Z	L	N	P	K	L	D	J	K	I	V	Q
F	N	A	G	D	O	R	A	A	Q	C	H	L	O	T
B	N	I	S	H	A	R	D	N	E	D	K	L	R	B
L	O	C	N	B	A	E	I	H	T	O	M	M	B	H
N	L	C	N	N	V	W	C	D	Z	H	K	A	O	T
Y	L	A	O	Z	H	O	C	O	A	C	E	N	B	R
X	Y	J	D	K	R	N	V	R	U	X	X	R	X	U
W	L	H	F	T	F	Q	X	Y	L	C	M	S	S	N

ACCIARI
BARKOV
BOBROVSKY
BOYLE
CONNOLLY
DADONOV
EKBLAD
FLORIDA
HUBERDEAU
MATHESON
PANTHERS
STILLMAN
STRALMAN
TROCHECK
WEEGAR

Penguins

Q	I	I	Z	J	O	H	N	S	O	N	D	Y	M	C
S	G	T	A	D	Q	Z	V	F	P	F	J	Q	G	R
J	D	U	Z	Y	L	I	E	M	I	V	B	C	N	O
V	I	P	E	J	C	N	N	D	T	F	G	N	M	S
D	U	U	Z	N	O	N	A	I	T	O	K	N	F	B
O	R	W	B	M	T	T	C	E	S	S	Z	A	Y	Y
M	Y	W	I	S	S	Z	J	X	B	N	A	C	J	F
M	A	S	G	G	Z	L	E	W	U	I	F	C	A	S
U	A	R	U	R	L	Q	H	L	R	U	I	M	R	K
U	S	J	I	B	G	L	Y	N	G	G	R	J	R	I
M	B	H	F	N	G	Z	Y	U	H	N	N	U	Y	Z
P	Z	D	E	W	O	O	V	H	S	E	V	D	S	D
G	N	A	T	E	L	V	F	A	O	P	Y	U	R	T
K	P	J	V	S	N	Q	O	K	M	A	L	K	I	N
N	O	S	S	R	E	T	T	E	P	N	Q	N	V	I

BJUGSTAD
CROSBY
GUENTZEL
JARRY
JOHNSON
KAHUN
LETANG
MALKIN
MARINO
MCCANN
PENGUINS
PETTERSSON
PITTSBURGH
RUST
SIMON

Predators

M	M	E	X	H	L	L	O	N	I	N	O	B	S	R
D	W	T	N	A	S	H	V	I	L	L	E	R	E	N
E	J	O	S	I	A	N	S	C	C	R	O	B	G	P
T	J	E	N	N	I	R	O	E	F	T	E	W	F	J
G	K	O	R	K	N	R	A	J	A	W	H	H	A	S
R	E	B	U	I	O	J	E	D	R	F	G	E	B	V
E	N	A	T	G	P	D	E	K	S	P	I	C	B	M
B	E	E	J	J	R	R	O	C	H	N	N	O	R	H
S	H	Q	V	O	P	A	G	B	U	O	S	G	O	G
R	C	S	X	H	V	L	N	V	W	L	L	H	Y	H
O	U	O	K	A	L	J	V	L	U	Z	E	M	U	G
F	D	R	H	N	R	X	Q	D	U	W	O	V	U	X
U	M	A	G	S	M	G	I	R	H	N	H	Z	S	K
S	S	S	N	E	S	R	N	I	V	I	D	B	Y	L
M	L	S	Z	N	X	F	W	G	X	S	M	I	T	H

BONINO
DUCHENE
EKHOLM
FABBRO
FORSBERG
GRANLUND
JARNKROK
JOHANSEN
JOSI
NASHVILLE
PREDATORS
RINNE
SAROS
SMITH
WEBER

Rangers

K	C	K	Z	P	I	Q	M	N	W	E	T	V	B	N
R	R	R	X	H	A	Q	O	L	E	G	N	A	E	D
O	A	E	T	W	C	N	I	W	O	T	H	I	U	F
Y	N	I	B	L	I	E	A	C	E	C	L	A	H	A
W	G	D	E	W	J	A	M	R	I	A	W	D	N	S
E	E	E	U	K	T	W	W	V	I	A	Y	A	F	T
N	R	R	S	R	Z	R	E	Y	B	N	B	J	L	C
D	S	S	I	D	P	N	O	M	Z	M	Z	E	A	L
G	R	Q	D	Y	H	Q	W	U	V	K	B	N	V	R
H	F	K	G	C	B	E	J	W	B	V	I	A	F	E
N	J	J	U	T	M	B	G	G	O	A	A	B	A	U
J	G	B	F	O	L	I	T	Y	H	C	C	I	T	P
J	I	O	R	O	L	A	A	T	S	I	S	Z	B	Q
N	S	T	L	U	N	D	Q	V	I	S	T	L	Y	X
K	S	G	S	H	W	G	X	L	E	M	I	E	U	X

BUCHNEVICH
CHYTIL
DEANGELO
FAST
KREIDER
LEMIEUX
LUNDQVIST
NEW YORK
PANARIN
RANGERS
SKJEI
STAAL
STROME
TROUBA
ZIBANEJAD

Red Wings

N	E	E	R	G	U	O	I	F	F	P	D	Y	W	C
H	E	B	E	R	T	U	Z	Z	I	I	W	E	H	U
L	F	A	L	U	P	P	L	I	F	C	O	L	L	H
G	O	B	E	H	R	O	N	E	K	K	G	A	Y	W
E	G	T	F	Y	G	V	L	A	Q	A	K	D	D	G
V	Q	L	Q	S	P	G	H	I	W	R	Q	V	I	T
X	S	E	E	M	C	T	Z	U	I	D	X	R	H	O
W	G	B	G	N	E	P	V	A	M	I	B	X	O	O
N	N	W	M	M	D	E	E	N	D	B	Q	R	W	Q
I	I	J	E	R	D	E	E	Y	A	I	V	B	A	X
K	W	N	C	E	J	Z	N	F	U	L	N	U	R	Y
R	D	J	I	S	N	L	S	I	D	E	N	A	D	N
A	E	W	I	A	L	P	I	V	N	B	P	Q	U	T
L	R	R	R	T	H	J	X	E	U	G	I	X	O	X
U	F	F	U	T	I	O	R	T	E	D	K	R	Q	D

BERTUZZI
DALEY
DETROIT
FABBRI
FILPPULA
FRANZEN
GLENDENING
GREEN
HOWARD
HRONEK
LARKIN
NEMETH
PICKARD
RED WINGS
ZADINA

Sabres

Z	C	B	E	S	K	X	T	B	K	X	L	B	R	D
E	S	V	U	X	O	R	Q	E	R	E	W	E	L	U
Q	J	M	G	F	A	B	E	D	H	O	N	S	K	L
N	I	B	K	H	F	J	O	C	R	N	V	A	N	L
H	G	E	N	O	E	A	I	T	I	C	T	B	E	M
N	J	I	L	Q	Q	E	L	K	K	Z	N	R	N	A
M	E	N	J	T	K	R	S	O	M	A	O	E	I	R
R	J	O	K	I	H	A	R	J	U	W	S	S	A	K
T	G	S	E	M	R	S	S	N	Z	T	S	N	L	F
U	A	E	N	M	O	N	T	O	U	R	R	X	O	Y
L	S	N	O	S	N	E	G	R	I	G	A	E	T	D
I	K	C	J	O	C	K	N	O	X	S	L	R	S	G
P	P	W	Y	E	S	E	V	H	W	Y	J	Z	I	Z
T	I	I	H	A	V	O	S	O	P	K	O	N	R	E
O	N	T	C	Q	T	A	W	U	J	Q	N	V	I	C

BUFFALO
EICHEL
GIRGENSONS
JOKIHARJU
LARSSON
MONTOUR
OKPOSO
PILUT
REINHART
RISTOLAINEN
SABRES
SKINNER
SOBOTKA
ULLMARK
VESEY

Senators

I	U	O	H	A	I	N	S	E	Y	T	Q	O	V	T
Q	B	S	R	W	O	O	T	T	A	W	A	T	O	N
B	S	R	O	T	A	N	E	S	X	D	X	W	K	N
R	R	J	X	W	K	U	H	C	A	K	T	V	I	C
B	R	O	B	O	R	O	W	I	E	C	K	I	N	X
H	M	Z	W	K	E	A	Y	U	X	D	G	E	T	A
J	H	M	A	N	G	M	F	O	R	U	C	C	S	N
Y	U	O	G	I	Y	X	R	V	N	C	N	H	E	I
E	M	J	G	Q	T	Z	U	O	Q	L	X	A	M	S
N	H	K	K	B	U	S	S	S	V	A	Z	B	A	I
R	J	R	H	A	E	R	E	G	L	I	L	O	N	M
E	S	C	E	V	E	R	M	V	H	R	X	T	S	O
I	Z	G	S	D	Y	F	G	E	D	X	K	Y	A	V
T	A	Y	N	C	P	S	J	M	K	A	B	R	E	K
P	T	A	D	X	Y	S	I	C	H	H	O	X	X	M

ANDERSON
ANISIMOV
BOROWIECKI
BROWN
CHABOT
DUCLAIR
HAINSEY
HOGBERG
NAMESTNIKOV
OTTAWA
PAGEAU
SENATORS
TIERNEY
TKACHUK
ZAITSEV

Sharks

S	N	R	U	B	O	V	I	U	A	E	L	R	A	M
N	P	N	F	E	S	M	D	F	L	H	C	H	P	C
E	D	H	E	R	T	L	O	U	S	X	L	T	I	H
S	O	R	E	N	S	E	N	U	E	C	J	P	P	M
E	K	I	K	H	V	K	Y	F	N	O	P	E	E	C
D	H	J	A	C	T	N	F	P	O	N	S	A	I	M
I	O	O	N	O	H	J	H	F	J	O	M	S	W	I
W	K	K	E	U	O	K	R	D	J	Z	A	E	O	P
S	Q	K	Z	T	R	R	A	N	U	L	Y	S	R	C
W	H	Z	V	U	N	J	A	R	V	P	M	S	D	L
U	C	A	E	R	T	S	R	M	L	U	K	W	O	L
L	E	V	R	E	O	P	Z	Y	B	S	I	N	O	E
R	V	V	U	K	N	D	C	S	L	M	S	G	G	D
V	D	V	H	O	S	F	F	Z	I	V	A	O	T	T
C	C	N	A	B	A	L	S	L	P	E	E	N	N	T

BURNS
COUTURE
DELL
GOODROW
HERTL
JONES
KANE
KARLSSON
LABANC
MARLEAU
SAN JOSE
SHARKS
SORENSEN
THORNTON
VLASIC

Stars

V	V	P	G	C	T	O	P	B	I	S	H	O	P	K
U	C	S	K	V	L	L	Q	A	G	F	R	W	A	G
S	J	D	U	Z	J	E	G	E	V	H	G	L	K	Y
N	F	A	H	G	L	K	R	N	N	E	O	U	N	E
E	Y	L	M	R	W	S	E	W	K	P	L	I	O	F
E	T	L	A	Y	C	I	B	S	I	A	U	S	N	K
P	U	A	L	L	D	A	G	H	T	G	U	I	K	N
E	Z	S	A	B	N	K	N	K	E	A	B	Y	F	I
V	T	M	Z	E	Z	X	I	S	E	O	R	M	C	E
I	N	Y	N	N	N	V	L	T	D	X	X	S	J	K
Y	I	X	A	N	J	N	K	U	G	S	U	P	J	U
U	H	F	H	D	G	C	H	P	I	M	Z	F	T	J
K	D	S	A	W	A	K	S	L	L	E	D	N	I	L
N	Y	J	X	V	O	L	U	D	A	R	K	S	O	H
L	L	U	U	K	I	V	I	R	A	N	T	A	R	F

BENN
BISHOP
DALLAS
HANZAL
HINTZ
KHUDOBIN
KIVIRANTA
KLINGBERG
LINDELL
OLEKSIAK
PAVELSKI
POLAK
RADULOV
SEGUIN
STARS

Western Conference

E	A	W	E	L	A	H	B	Z	P	I	T	H	K	I
H	D	P	P	Q	U	C	G	S	E	T	O	Y	O	C
C	J	U	S	M	U	S	K	Y	D	B	L	U	E	S
N	B	X	C	Q	E	R	N	S	E	M	A	L	F	X
A	U	L	S	K	L	E	I	V	K	A	Y	A	M	K
L	M	Y	A	S	S	L	G	S	D	U	C	Y	D	I
A	S	U	X	C	C	I	H	T	X	C	S	B	F	N
V	Y	G	Y	B	K	O	T	E	R	R	L	N	Q	G
A	J	Q	P	N	V	H	S	J	O	E	C	V	J	S
M	E	K	E	L	S	M	A	T	N	I	D	N	S	V
M	G	T	H	K	T	N	A	W	S	T	A	R	S	W
Z	C	Y	R	O	G	D	Z	J	K	Z	K	U	O	I
Y	X	A	N	M	E	K	A	D	A	S	E	X	N	L
Y	H	D	J	R	K	G	I	V	A	A	A	I	U	D
S	W	P	P	C	A	N	U	C	K	S	I	R	W	S

AVALANCHE
BLACKHAWKS
BLUES
CANUCKS
COYOTES
DUCKS
FLAMES
JETS
KINGS
KNIGHTS
OILERS
PREDATORS
SHARKS
STARS
WILD

Wild

P	H	S	F	D	Z	U	C	C	A	R	E	L	L	O
I	P	P	Z	I	C	X	F	H	D	A	D	R	C	G
D	L	U	B	U	O	R	V	Q	R	E	K	C	U	Z
V	Z	R	M	N	I	D	O	R	B	C	V	S	L	F
R	E	G	U	I	B	N	J	V	J	P	P	M	L	X
E	Y	E	W	Z	N	T	Z	A	N	S	S	B	Q	Y
T	L	O	K	A	W	N	B	Q	G	T	T	K	O	Z
U	J	N	M	K	W	M	E	B	I	A	S	C	B	B
S	F	M	C	C	U	I	X	S	A	A	H	O	A	H
M	T	I	U	D	E	T	L	G	O	L	D	L	U	L
G	X	I	A	S	H	M	V	D	B	T	Z	A	Y	F
P	S	C	I	L	S	O	L	F	X	X	A	T	R	H
B	T	R	Q	T	A	K	X	K	S	A	R	S	X	U
I	A	G	B	F	I	X	T	E	Z	H	D	H	X	N
P	U	N	I	P	D	D	U	B	N	Y	K	I	G	T

BRODIN
DUBNYK
DUMBA
FIALA
HUNT
MINNESOTA
PARISE
RASK
SPURGEON
STAAL
STALOCK
SUTER
WILD
ZUCCARELLO
ZUCKER

Terminology 2

E	K	E	D	H	R	T	Y	A	J	K	Z	D	U	F
I	P	J	C	E	O	P	P	C	O	G	A	Y	Q	V
E	E	N	D	L	L	H	J	N	W	X	O	P	F	D
Y	I	N	S	K	G	W	C	T	Z	B	K	F	O	D
P	E	H	A	N	D	P	A	S	S	R	C	H	R	K
B	V	V	D	F	J	N	O	U	B	E	E	X	E	F
T	C	U	D	N	O	C	S	I	M	A	H	P	C	D
T	U	W	M	J	W	O	S	Y	G	K	C	R	H	S
T	L	O	X	Y	S	W	F	N	Z	O	K	I	E	T
K	C	I	T	S	K	U	A	F	K	U	C	H	C	T
R	Y	W	P	V	M	G	D	V	S	T	A	C	K	I
O	V	M	M	Y	C	A	N	Y	E	I	B	F	A	M
Z	H	A	S	H	M	A	R	K	S	O	D	K	D	Q
W	V	O	H	W	V	L	H	W	L	O	F	E	Y	F
G	R	I	X	U	M	W	M	W	H	P	M	F	S	E

BACKCHECK
BENDER
BREAK OUT
CHIRP
DEKE
FORECHECK
HAND PASS
HASH MARKS
MISCONDUCT
MITTS
OFFSIDES
PINCH
SLOT
STICK
WAVE OFF

Answers

1

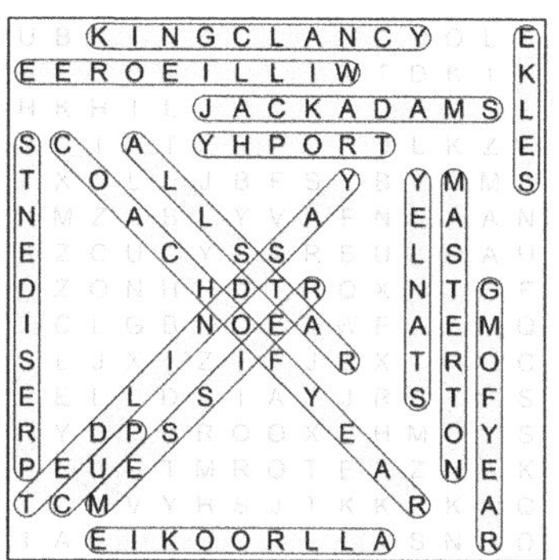

ALL ROOKIE
ALL STAR
COACH OF YEAR
CUP
GM OF YEAR
JACK ADAMS
KING CLANCY
MASTERTON
MESSIER
PRESIDENTS
SELKE
STANLEY
TED LINDSAY
TROPHY
WILLIE O'REE

2

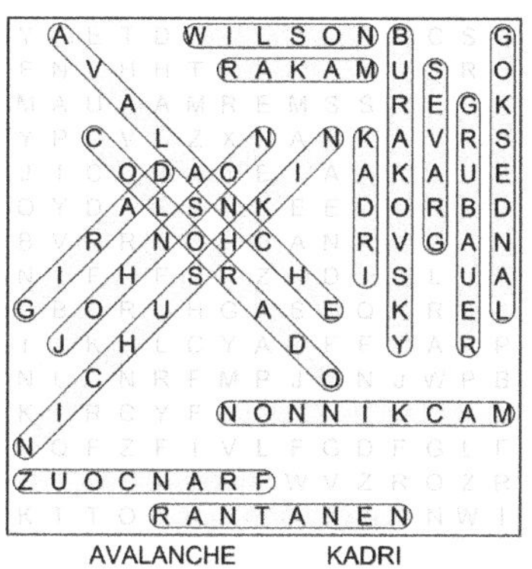

AVALANCHE
BURAKOVSKY
COLORADO
FRANCOUZ
GIRAD
GRAVES
GRUBAUER
JOHNSON
KADRI
LANDESKOG
MACKINNON
MAKAR
NICHUSHKIN
RANTANEN
WILSON

3

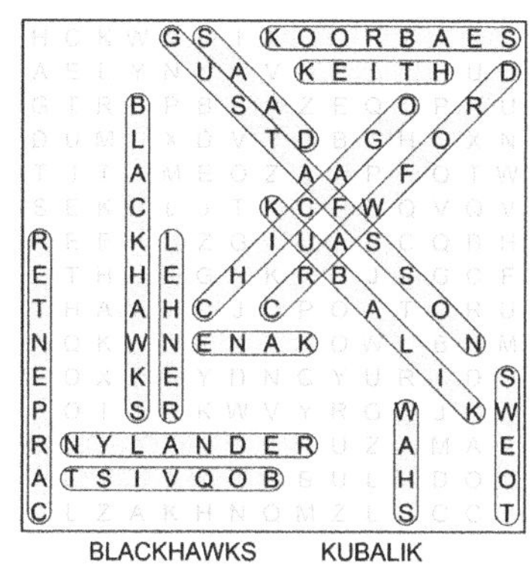

BLACKHAWKS
BOQVIST
CARPENTER
CHICAGO
CRAWFORD
GUSTAFSSON
KANE
KEITH
KUBALIK
LEHNER
NYLANDER
SAAD
SEABROOK
SHAW
TOEWS

4

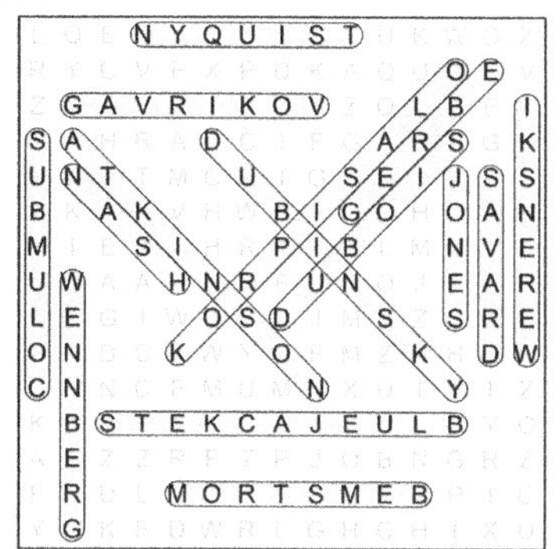

ATKINSON
BEMSTROM
BLUE JACKETS
COLUMBUS
DUBINSKY
DUBOIS
GAVRIKOV
GERBE
JONES
KORPISALO
NASH
NYQUIST
SAVARD
WENNBERG
WERENSKI

5

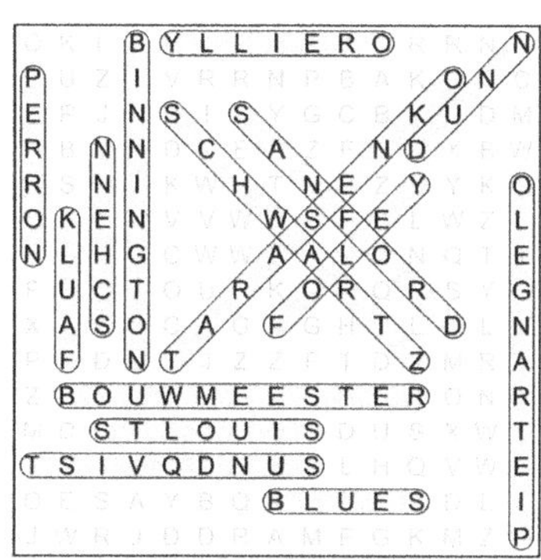

BINNINGTON
BLUES
BOUWMEESTER
DUNN
FAULK
FOLEY
OREILLY
PERRON
PIETRANGELO
SANFORD
SCHENN
SCHWARTZ
ST LOUIS
SUNDQVIST
TARASENKO

6

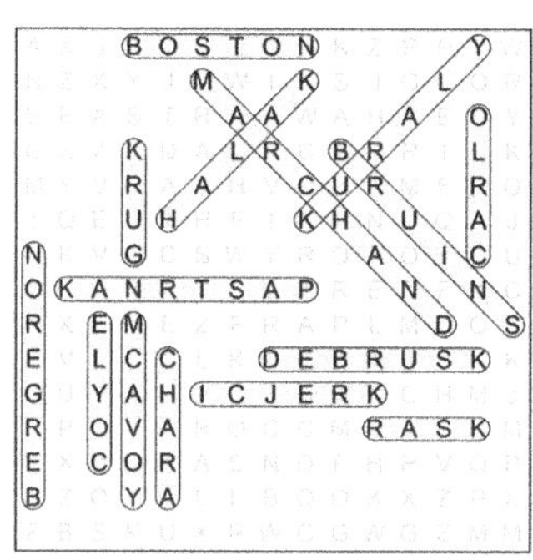

BERGERON
BOSTON
BRUINS
CARLO
CHARA
COYLE
DEBRUSK
HALAK
KREJCI
KRUG
KURALY
MARCHAND
MCAVOY
PASTRNAK
RASK

7

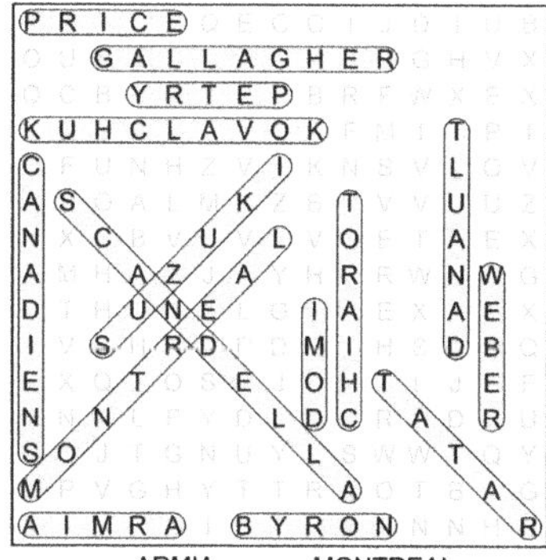

ARMIA
BYRON
CANADIENS
CHIAROT
DANAULT
DOMI
GALLAGHER
KOVALCHUK
MONTREAL
PETRY
PRICE
SCANDELLA
SUZUKI
TATAR
WEBER

8

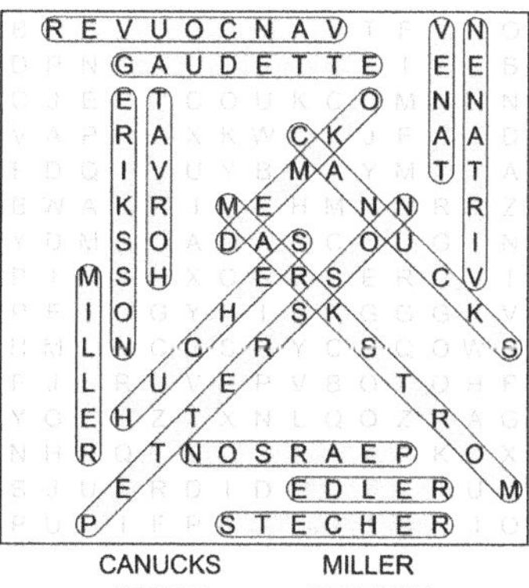

CANUCKS
DEMKO
EDLER
ERIKSSON
GAUDETTE
HORVAT
HUGHES
MARKSTROM
MILLER
PEARSON
PETTERSSON
STECHER
TANEV
VANCOUVER
VIRTANEN

9

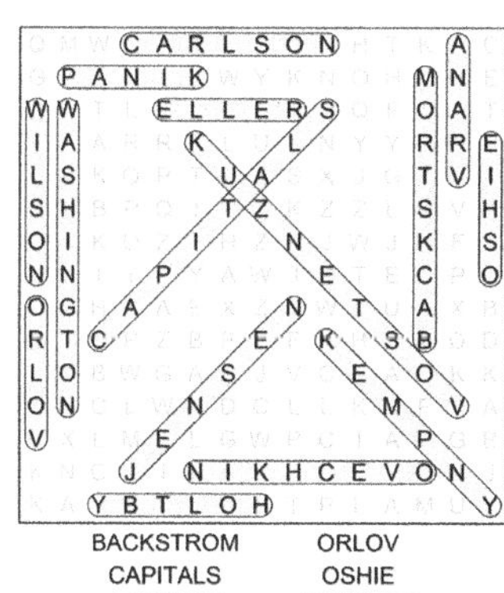

BACKSTROM
CAPITALS
CARLSON
ELLER
HOLTBY
JENSEN
KEMPNY
KUZNETSOV
ORLOV
OSHIE
OVECHKIN
PANIK
VRANA
WASHINGTON
WILSON

Answers

10

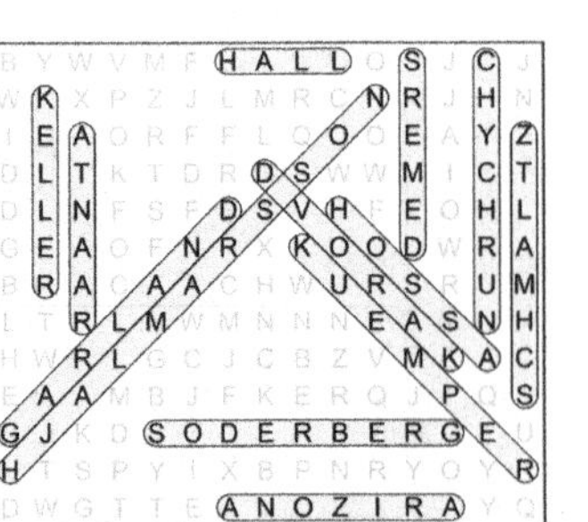

ARIZONA
CHYCHRUN
COYOTES
DEMERS
DVORAK
EKMAN LARSON
GARLAND
HALL
HJALMARSSON
HOSSA
KELLER
KUEMPER
RAANTA
SCHMALTZ
SODERBERG

11

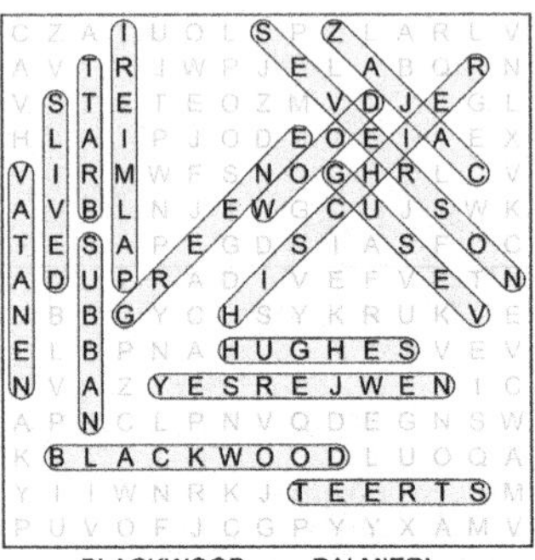

BLACKWOOD
BRATT
DEVILS
GREENE
GUSEV
HISCHIER
HUGHES
NEW JERSEY
PALMIERI
SEVERSON
STREET
SUBBAN
VATANEN
WOOD
ZAJAC

12

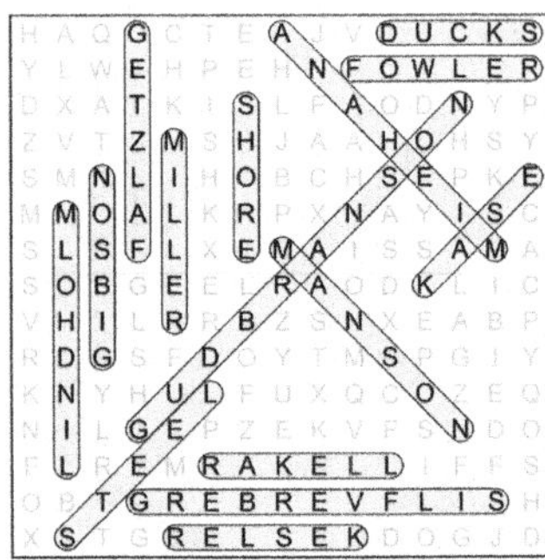

ANAHEIM
DUCKS
FOWLER
GETZLAF
GIBSON
GUDBRANSON
KASE
KESLER
LINDHOLM
MANSON
MILLER
RAKELL
SHORE
SILFVERBERG
STEEL

13

BLUE JACKETS
BRUINS
CANADIENS
CAPITALS
DEVILS
FLYERS
HURRICANES
ISLANDERS
LIGHTNING
MAPLE LEAFS
PANTHERS
PENGUINS
RANGERS
RED WINGS
SABRES
SENATORS

14

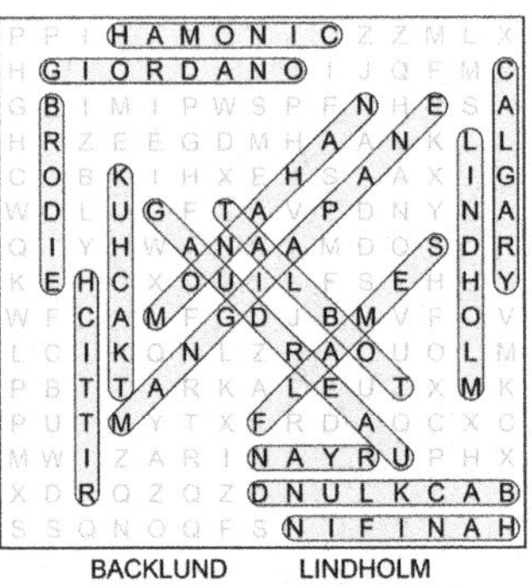

BACKLUND
BRODIE
CALGARY
FLAMES
GAUDREAU
GIORDANO
HAMONIC
HANIFIN
LINDHOLM
MANGIAPANE
MONAHAN
RITTICH
RYAN
TALBOT
TKACHUK

15

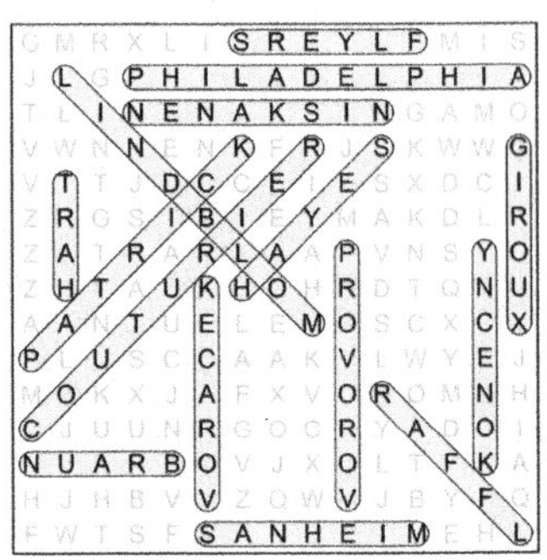

BRAUN
COUTURIER
FLYERS
GIROUX
HART
HAYES
KONECNY
LINDBLOM
NISKANEN
PATRICK
PHILADELPHIA
PROVOROV
RAFFL
SANHEIM
VORACEK

16

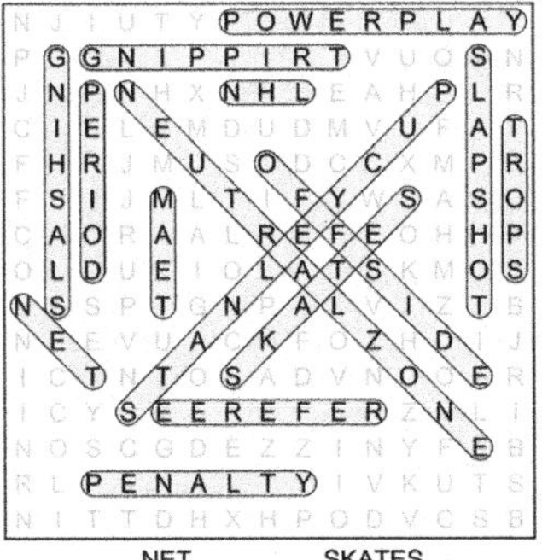

NET
NEUTRAL ZONE
NHL
OFFSIDE
PENALTY
PERIOD
POWER PLAY
REFEREE
SKATES
SLAPSHOT
SLASHING
SPORT
STANLEY CUP
TEAM
TRIPPING

17

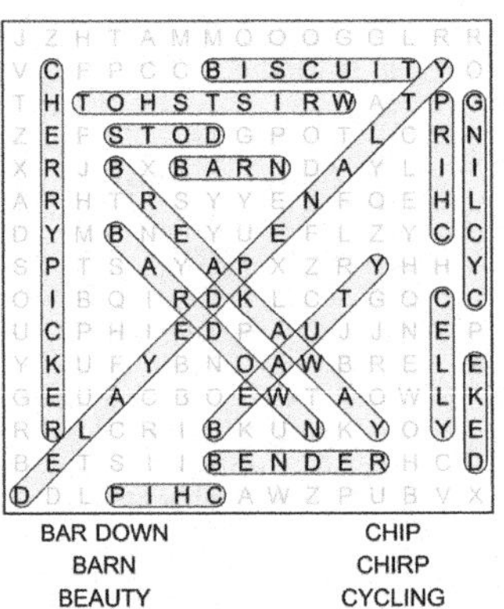

BAR DOWN
BARN
BEAUTY
BENDER
BISCUIT
BREAK AWAY
CELLY
CHERRY PICKER
CHIP
CHIRP
CYCLING
DEKE
DELAYED PENALTY
DOTS
WRIST SHOT

18

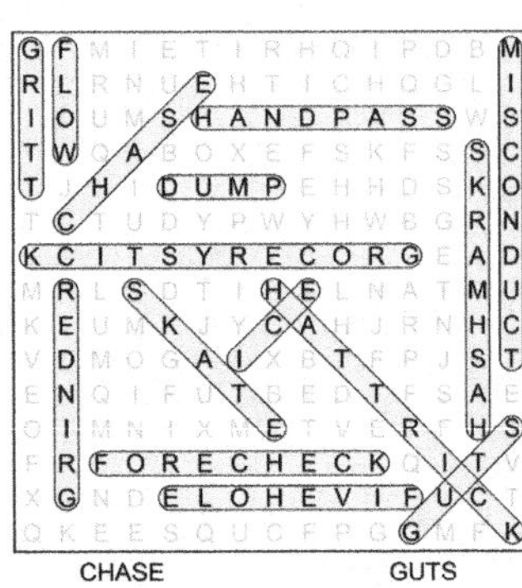

CHASE
DUMP
FIVE HOLE
FLOW
FORECHECK
GRINDER
GRITT
GROCERY STICK
GUTS
HAND PASS
HASH MARKS
HAT TRICK
ICE
MISCONDUCT
SKATE

Answers

19

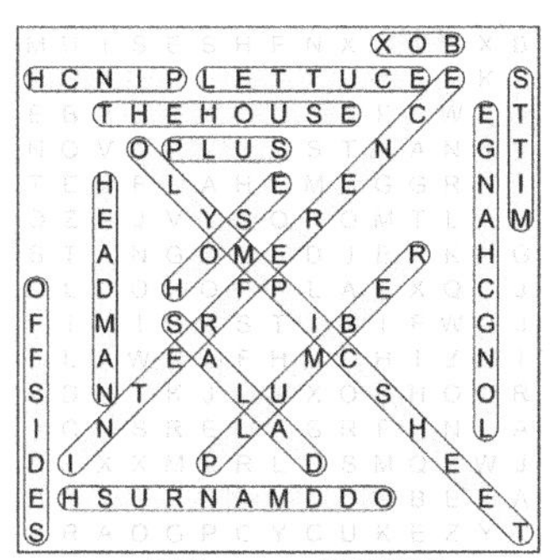

BOX
HEADMAN
HOSE
INTERFERENCE
LETTUCE
LONG CHANGE
MITTS
ODD MAN RUSH
OFFSIDES
OLYMPIC SHEET
PINCH
PLUMBER
PLUS
SALAD
THE HOUSE

20

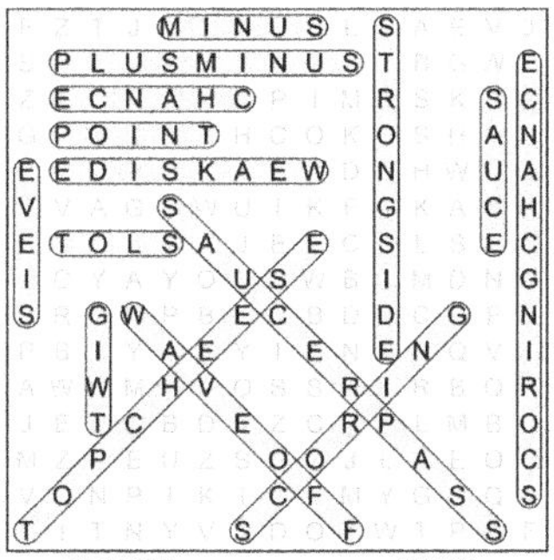

CHANCE
MINUS
PLUS/MINUS
POINT
SAUCE
SAUCER PASS
SCORING
SCORING CHANCE
SIEVE
SLOT
STRONG SIDE
TOP CHEESE
TWIG
WAVE OFF
WEAK SIDE

21

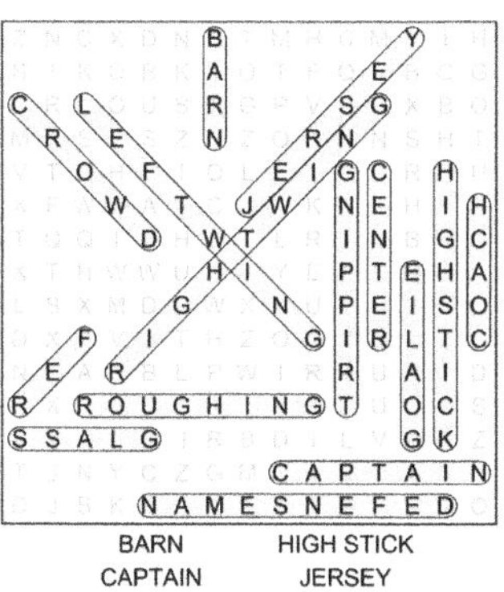

BARN
CAPTAIN
CENTER
COACH
CROWD
DEFENSEMAN
GLASS
GOALIE
HIGH STICK
JERSEY
LEFT WING
REF
RIGHT WING
ROUGHING
TRIPPING

22

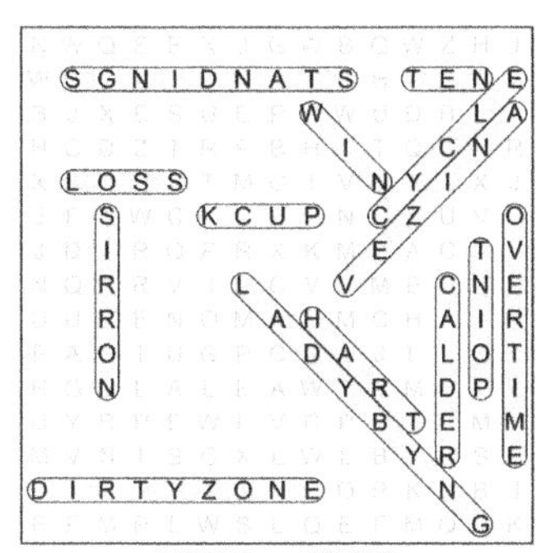

CALDER
CYCLE
DIRTY ZONE
HART
LADY BYNG
LOSS
NET
NORRIS
OVERTIME
POINT
PUCK
STANDINGS
VEZINA
WIN

23

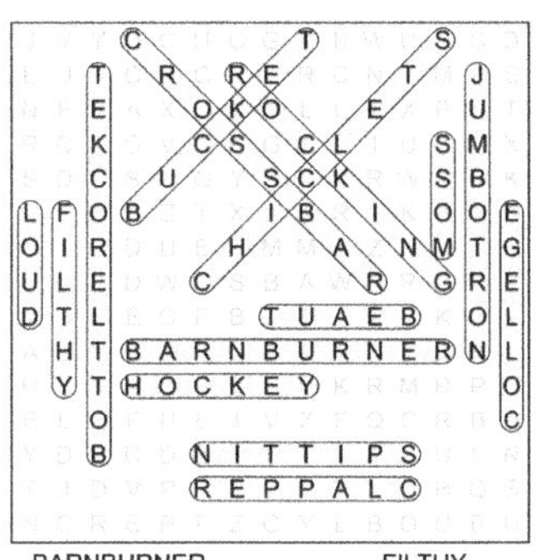

BARNBURNER
BEAUT
BOTTLE ROCKET
BUCKET
CHICLETS
CLAPPER
COLLEGE
CROSSBAR
FILTHY
HOCKEY
JUMBOTRON
LOUD
MOSS
ROCKING
SPITTIN

24

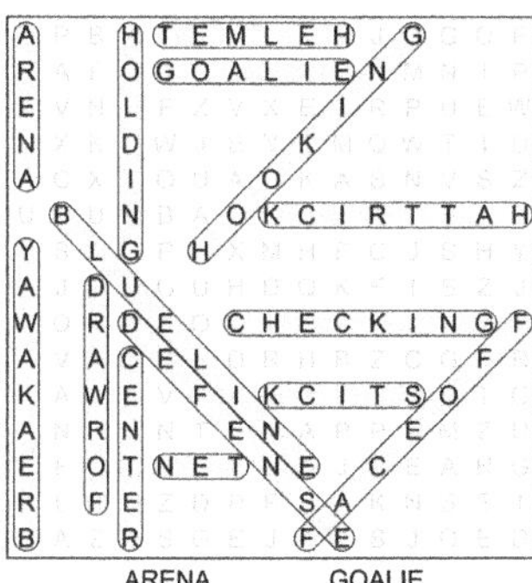

ARENA
BLUE LINE
BREAKAWAY
CENTER
CHECKING
DEFENSE
FACE OFF
FORWARD
GOALIE
HAT TRICK
HELMET
HOLDING
HOOKING
NET
STICK

25

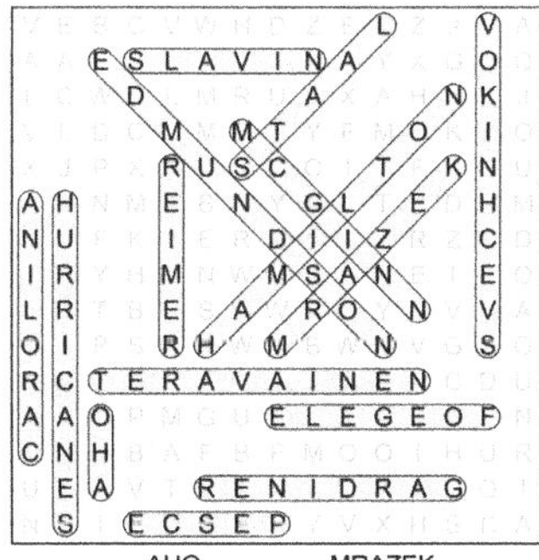

AHO
CAROLINA
EDMUNDSON
FOEGELE
GARDINER
HAMILTON
HURRICANES
MCGINN
MRAZEK
PESCE
REIMER
SLAVIN
STAAL
SVECHNIKOV
TERAVAINEN

26

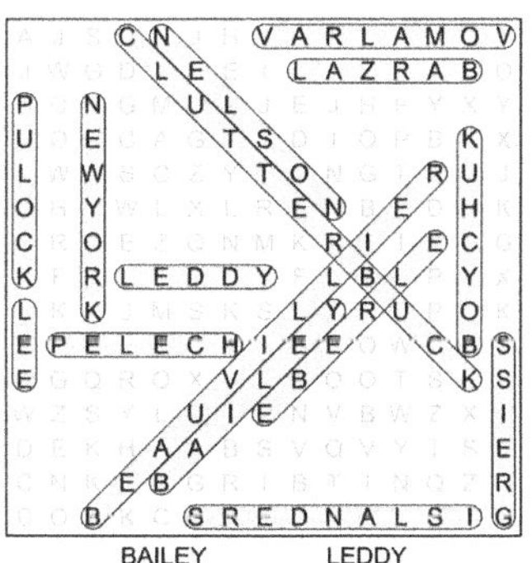

BAILEY
BARZAL
BEAUVILLIER
BOYCHUK
CLUTTERBUCK
EBERLE
GREISS
ISLANDERS
LEDDY
LEE
NELSON
NEW YORK
PELECH
PULOCK
VARLAMOV

27

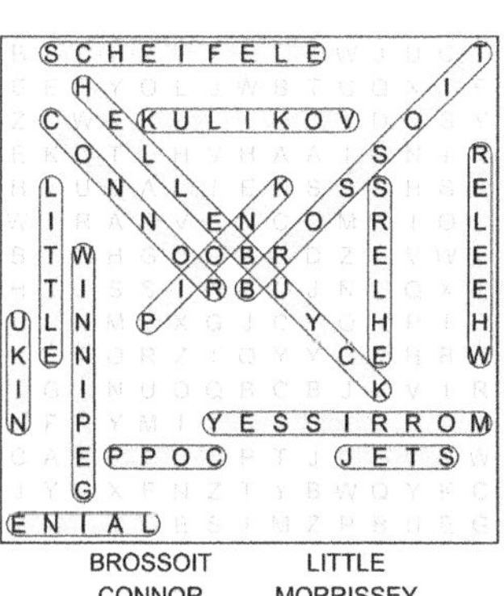

BROSSOIT
CONNOR
COPP
EHLERS
HELLEBUYCK
JETS
KULIKOV
LAINE
LITTLE
MORRISSEY
NIKU
PIONK
SCHEIFELE
WHEELER
WINNIPEG

Answers

28

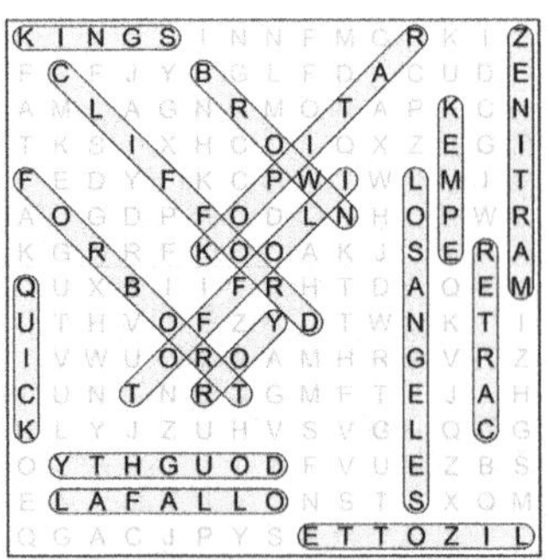

BROWN
CARTER
CLIFFORD
DOUGHTY
FORBORT
KEMPE
KINGS
KOPITAR
LAFALLO
LIZOTTE
LOS ANGELES
MARTINEZ
QUICK
ROY
TOFFOLI

29

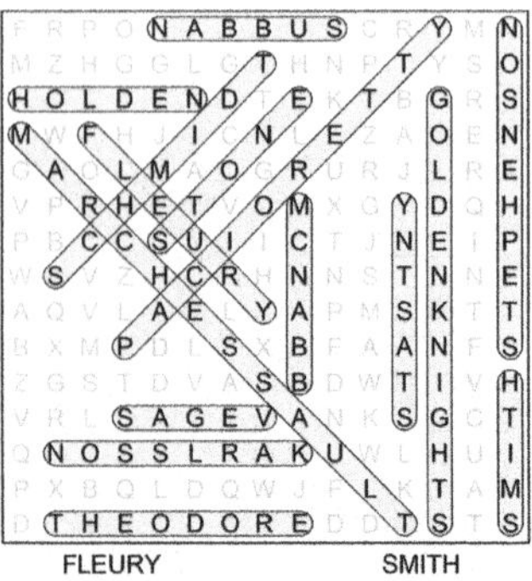

FLEURY
GOLDEN KNIGHTS
HOLDEN
KARLSSON
MARCHESSAULT
MCNABB
PACIORETTY
SCHMIDT
SMITH
STASTNY
STEPHENSON
STONE
SUBBAN
THEODORE
VEGAS

30

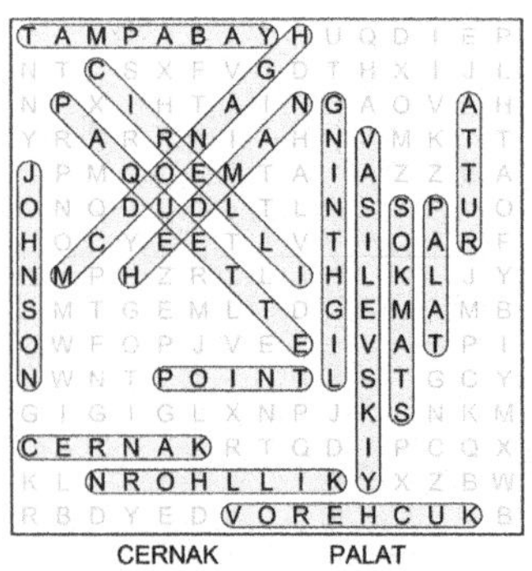

CERNAK
CIRELLI
HEDMAN
JOHNSON
KILLHORN
KUCHEROV
LIGHTNING
MCDONAGH
PALAT
PAQUETTE
POINT
RUTTA
STAMKOS
TAMPA BAY
VASILEVSKIY

31

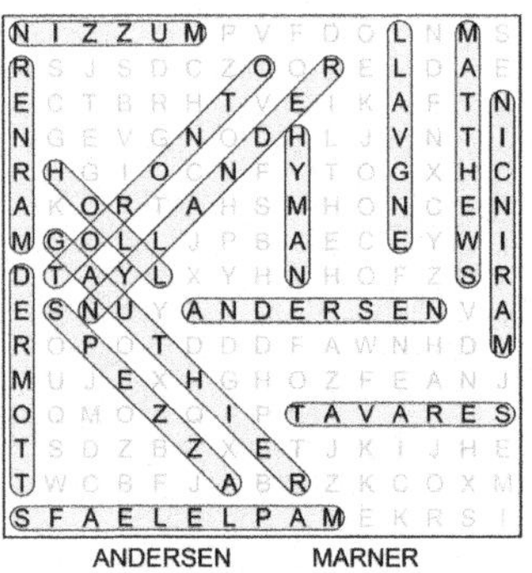

ANDERSEN
DERMOTT
ENGVALL
GAUTHIER
HOLL
HYMAN
MAPLE LEAFS
MARINCIN
MARNER
MATTHEWS
MUZZIN
NYLANDER
SPEZZA
TAVARES
TORONTO

32

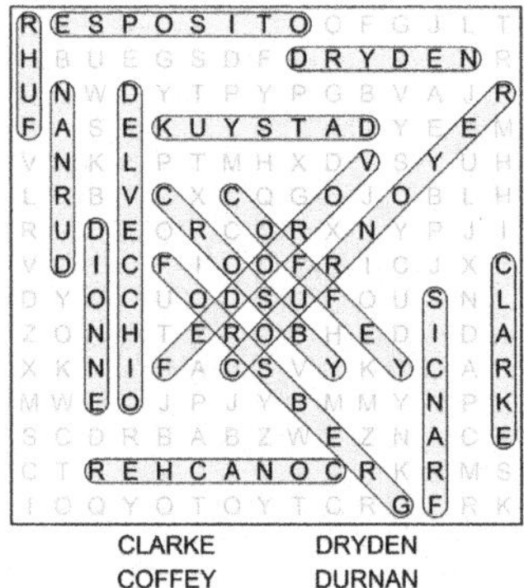

CLARKE
COFFEY
CONACHER
COURNOYER
CROSBY
DATSYUK
DELVECCHIO
DIONNE
DRYDEN
DURNAN
ESPOSITO
FEDOROV
FORSBERG
FRANCIS
FUHR

33

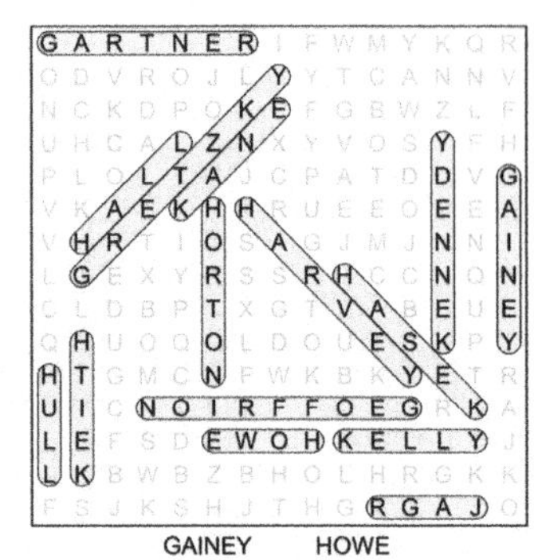

GAINEY
GARTNER
GEOFFRION
GRETZKY
HALL
HARVEY
HASEK
HORTON
HOWE
HULL
JAGR
KANE
KEITH
KELLY
KENNEDY

34

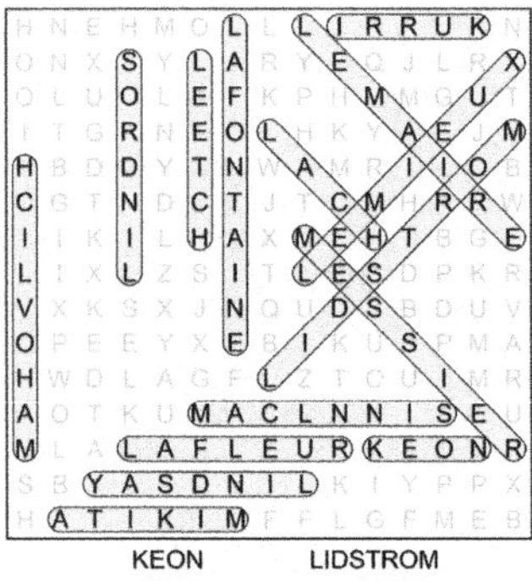

KEON
KURRI
LACH
LAFLEUR
LAFONTAINE
LEETCH
LEMAIRE
LEMIEUX
LIDSTROM
LINDROS
LINDSAY
MACLNNIS
MAHOVLICH
MESSIER
MIKITA

35

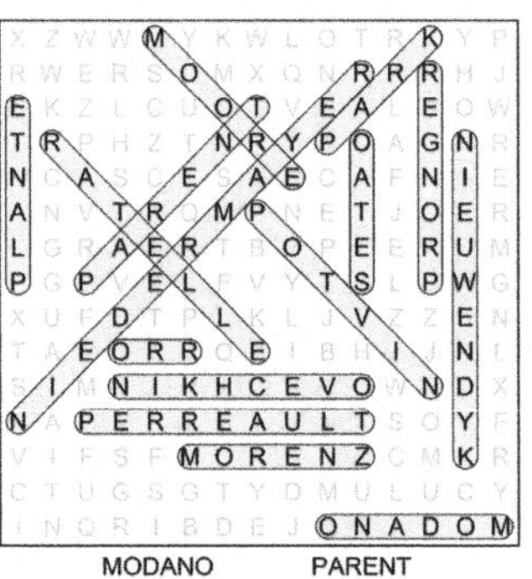

MODANO
MOORE
MORENZ
NIEDERMAYER
NIEUWENDYK
OATES
ORR
OVECHKIN
PARENT
PARK
PERREAULT
PLANTE
POTVIN
PRONGER
RATELLE

36

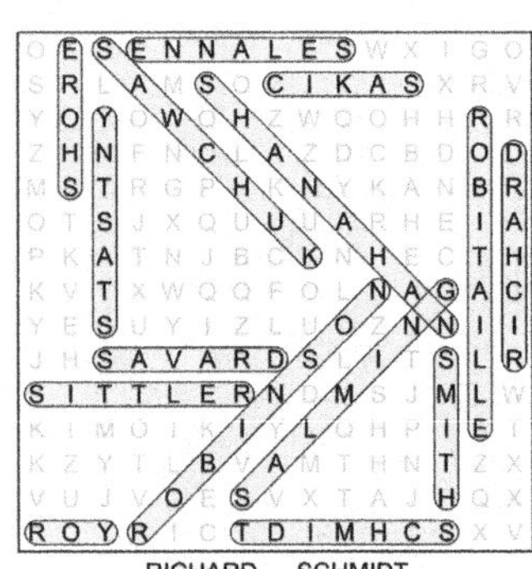

RICHARD
ROBINSON
ROBITAILLE
ROY
SAKIC
SALMING
SAVARD
SAWCHUK
SCHMIDT
SELANNE
SHANAHAN
SHORE
SITTLER
SMITH
STASTNY

Answers

37

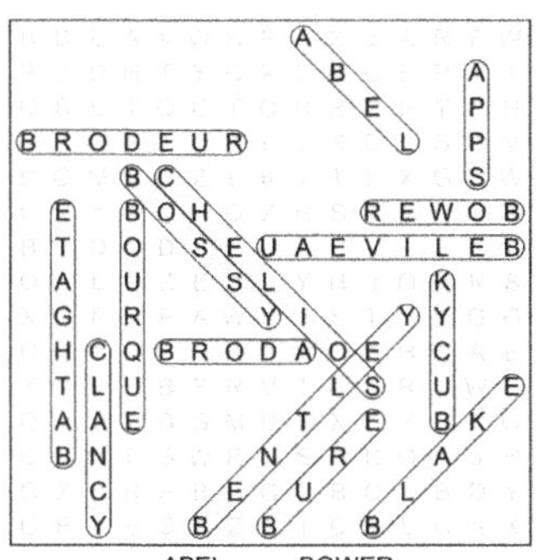

ABEL
APPS
BATHGATE
BELIVEAU
BENTLEY
BLAKE
BOSSY
BOURQUE
BOWER
BRODA
BRODEUR
BUCYK
BURE
CHELIOS
CLANCY

38

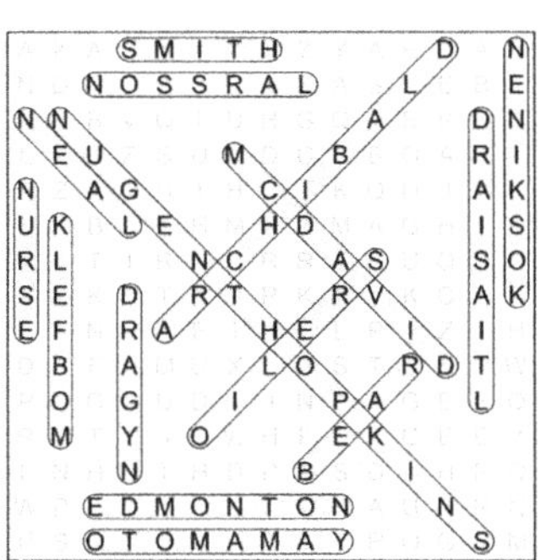

ARCHIBALD
BEAR
DRAISAITL
EDMONTON
KLEFBOM
KOSKINEN
LARSSON
MCDAVID
NEAL
NUGENT HOPKINS
NURSE
NYGARD
OILERS
SMITH
YAMAMOTO

39

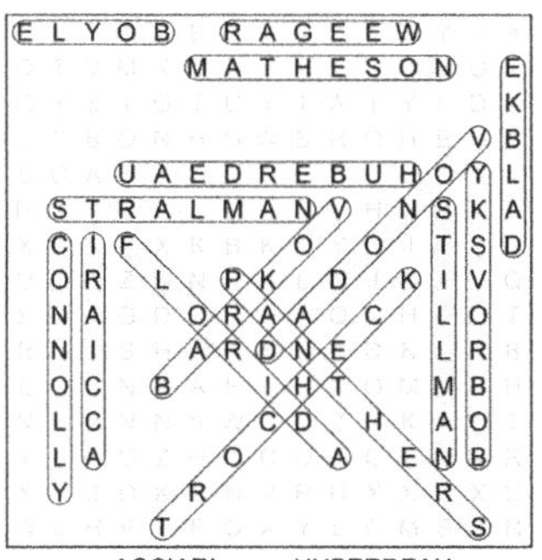

ACCIARI
BARKOV
BOBROVSKY
BOYLE
CONNOLLY
DADONOV
EKBLAD
FLORIDA
HUBERDEAU
MATHESON
PANTHERS
STILLMAN
STRALMAN
TROCHECK
WEEGAR

40

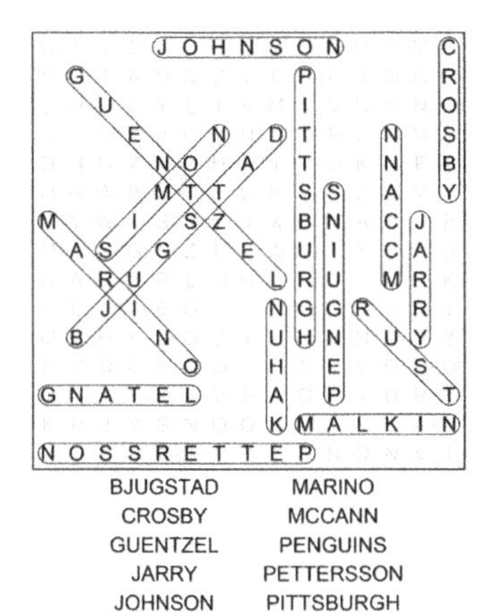

BJUGSTAD
CROSBY
GUENTZEL
JARRY
JOHNSON
KAHUN
LETANG
MALKIN
MARINO
MCCANN
PENGUINS
PETTERSSON
PITTSBURGH
RUST
SIMON

41

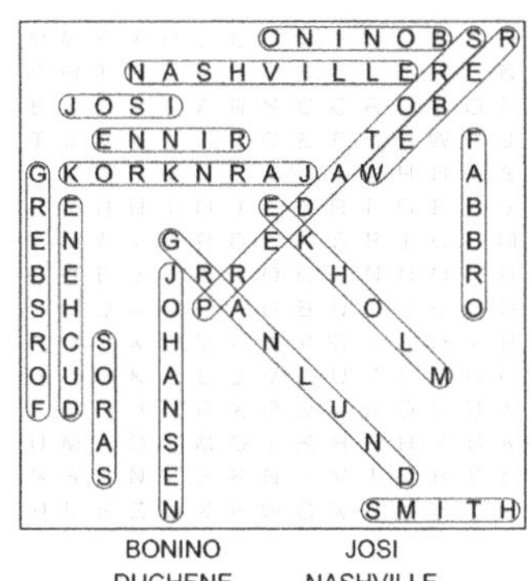

BONINO
DUCHENE
EKHOLM
FABBRO
FORSBERG
GRANLUND
JARNKROK
JOHANSEN
JOSI
NASHVILLE
PREDATORS
RINNE
SAROS
SMITH
WEBER

42

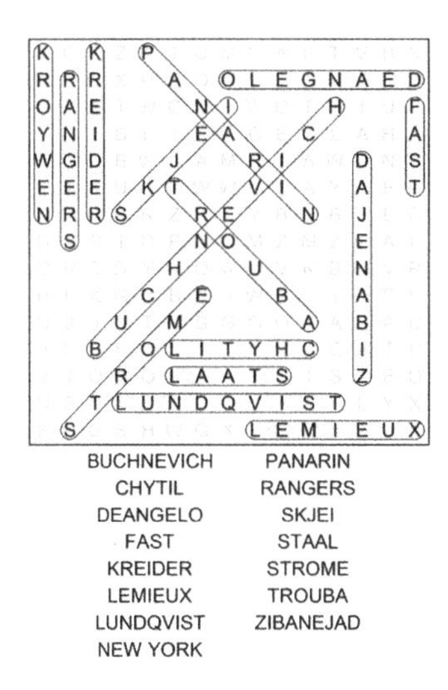

BUCHNEVICH
CHYTIL
DEANGELO
FAST
KREIDER
LEMIEUX
LUNDQVIST
NEW YORK
PANARIN
RANGERS
SKJEI
STAAL
STROME
TROUBA
ZIBANEJAD

43

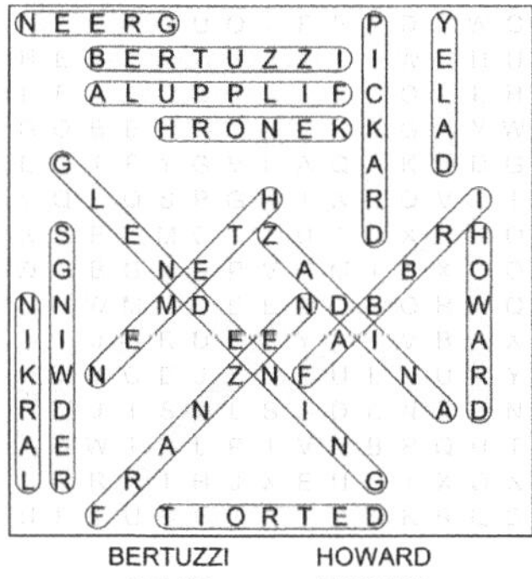

BERTUZZI
DALEY
DETROIT
FABBRI
FILPPULA
FRANZEN
GLENDENING
GREEN
HOWARD
HRONEK
LARKIN
NEMETH
PICKARD
RED WINGS
ZADINA

44

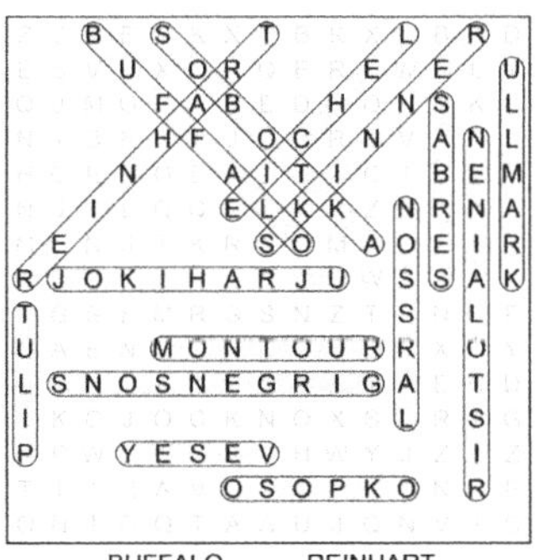

BUFFALO
EICHEL
GIRGENSONS
JOKIHARJU
LARSSON
MONTOUR
OKPOSO
PILUT
REINHART
RISTOLAINEN
SABRES
SKINNER
SOBOTKA
ULLMARK
VESEY

45

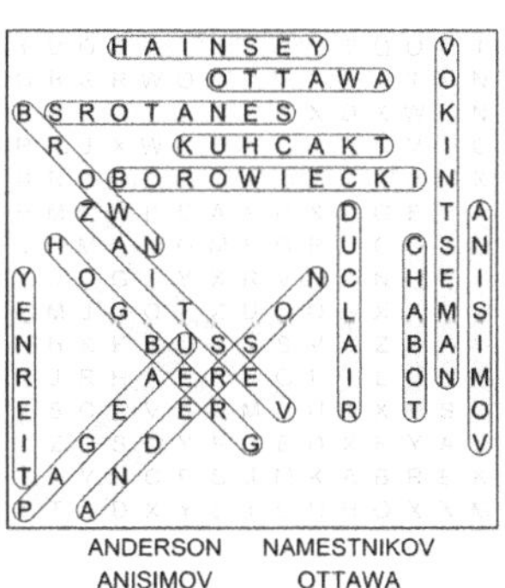

ANDERSON
ANISIMOV
BOROWIECKI
BROWN
CHABOT
DUCLAIR
HAINSEY
HOGBERG
NAMESTNIKOV
OTTAWA
PAGEAU
SENATORS
TIERNEY
TKACHUK
ZAITSEV

Answers

46

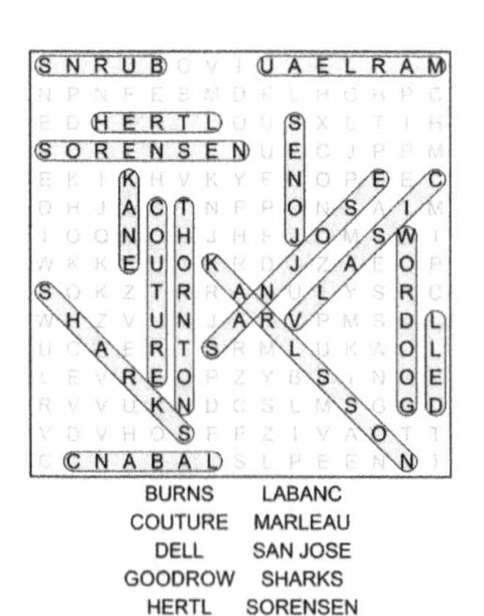

BURNS
COUTURE
DELL
GOODROW
HERTL
JONES
KANE
KARLSSON
LABANC
MARLEAU
SAN JOSE
SHARKS
SORENSEN
THORNTON
VLASIC

47

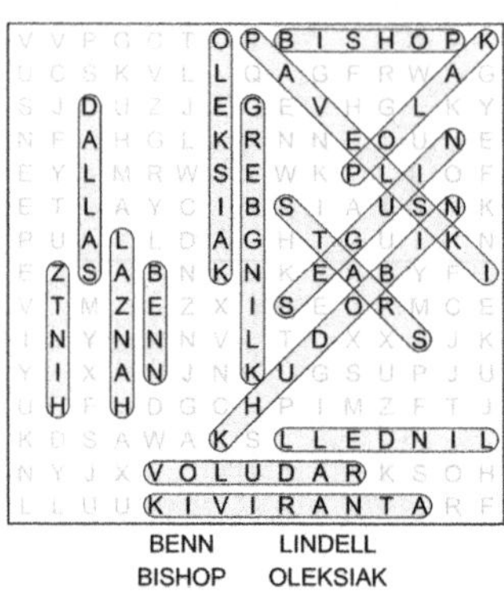

BENN
BISHOP
DALLAS
HANZAL
HINTZ
KHUDOBIN
KIVIRANTA
KLINGBERG
LINDELL
OLEKSIAK
PAVELSKI
POLAK
RADULOV
SEGUIN
STARS

48

AVALANCHE
BLACKHAWKS
BLUES
CANUCKS
COYOTES
DUCKS
FLAMES
JETS
KINGS
KNIGHTS
OILERS
PREDATORS
SHARKS
STARS
WILD

49

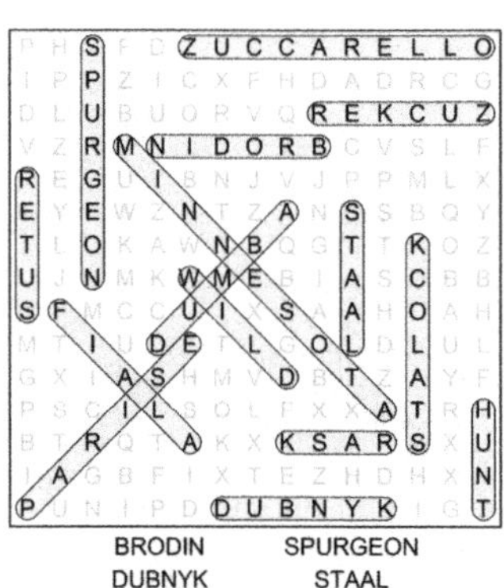

BRODIN
DUBNYK
DUMBA
FIALA
HUNT
MINNESOTA
PARISE
RASK
SPURGEON
STAAL
STALOCK
SUTER
WILD
ZUCCARELLO
ZUCKER

50

BACKCHECK
BENDER
BREAK OUT
CHIRP
DEKE
FORECHECK
HAND PASS
HASH MARKS
MISCONDUCT
MITTS
OFFSIDES
PINCH
SLOT
STICK
WAVE OFF

Made in United States
North Haven, CT
07 April 2022

18004479R00037